花は六十

佐藤愛子

集英社文庫

目次

花は六十

隣の花

1

年が改まって間もなく、島本の静《しずか》さんが満六十歳の誕生日を迎えたというので、島本さんの家ではお嫁さんの正子さんが朝からデパートへ行って、両手に持ち切れないほどの買物をしてタクシーで帰って来ると、それからご馳走《ちそう》造りに大童《おおわらわ》でした。

学校はどこもまだ冬休み中ですので、中学生の弓子ちゃんは台所を手伝い、高校生の悟《さとる》さんや小学生の勝《すぐる》ちゃんまで何だか忙しそうに勝手口を出たり入ったりしています。七十二歳になる静さんのご主人の卓造氏も毛糸のマフラーに正《しょう》チャン帽をかぶって、木枯の中をどこかへ出ていかれたと思ったら、やがて真赤なバラの大きな花束を抱えて門を入って行かれました。

夕方にはいつもより早く息子さんの秀一さんが勤め先の銀行から帰って来られ、

あかあかとシャンデリアが輝く下の横長のテーブルを、静さんを真中に一家七人が囲んで、多分、

「おばあさま、還暦おめでとうございます」

といったのでしょう、口々に何やらいいながらニコニコ頭を下げるのが、大きなガラス戸の向うに見えました。

音を立てて木枯の吹く日暮れです。こんな日にすることもなくひとりで炬燵《こたつ》に入っているのも暢気《のんき》でいいように見えるでしょうが、これも毎日となると少しもよくありません。特に冬の夕方の一人居は寂しさが身に染みるのです。

私の家は静さんの裏隣にあって、二階の三畳からはそう広くない芝生の庭を越して家の中がよく見えるのです。それでつい、退屈のあまりというか、寂しさのあまりというか、私は二階の三畳の窓際に炬燵を置いて、朝夕お隣の様子を眺めるということになってしまいます。

今日、静さんは（私には少し派手に見えるのですが）ツバメ模様の琉球絣《りゅうきゅうがすり》の上下を着て、とても嬉《うれ》しそうでした。静さんは私とちがって愛想のいい、表現のゆたかな人ですから、嬉しい時はほんとうに女学生になったように嬉しさを見せるのです。窓から見ていて私は思わず、

「――ああ、羨《うらや》ましいなァ……」

ひとり言を口に出してしまいました。

静さんはよく、

「松本さんはいいわねえ。旦那《だんな》さまはいないし、こんないいお家はあるし、息子さんは上出来で、しかも大阪勤め、うるさい孫も嫁もじいさんもいなくて、ひとりノビノビ、好きなことしていられる。ホントに羨ましいわ……」

といってくれますが、倖《しあわ》せに馴《な》れた人が人の不幸がわからないように、静さんは賑《にぎ》やかさに馴れて、寂しさとはどんなものかがわからないのです。

私も静さんと同じ六十歳。静さんより三月《みつき》後の生れですが、私は還暦を祝ってくれる者など一人もいそうにありません。息子と娘が一人ずついますが、息子は大阪で世帯を持ち、それも私に一言の相談もなく同棲《どうせい》した果《はて》の結婚で、娘の方は埼玉県の団地にいますが、土地つきの家を建てるのが一生の目的とやらで爪《つめ》に火を灯《とも》すような暮しをしてお金を溜《た》めているという情けない夫婦なのです。

「母さんは家を守ってくれよな。オレたちが本社勤めになって帰ってくるまで」

と息子は私に大阪へ来いともいわずに虫のいいことをいい、娘は娘で、

「お母さん、寂しかったら時々行ってあげてもいいけど、その代り電車賃出してちょうだいよ」

口を開けば、情けないことしかいいません。

私は毎日、ひまでもてあましているので、娘に膝かけを編んでやったことがあります。いつになく喜んで電話でお礼をいって来たと思ったら、なんと、その膝かけを近所の奥さんに三千円で売ったというではありませんか。その近所の奥さんは自分が編んだような顔をしてそれを姑《しゅうとめ》さんにお歳暮にあげたとか。

「お母さん、どうせ暇なんでしょ。古毛糸でいいからもっと編んでちょうだいよ」

そんなことをいって、私には一文もよこさないのです。

私は編物や縫物をすることをきっぱりやめました。

「目が悪くなったから、手先のことは出来なくなったのよ」

といって。何かを作って喜ばせよう、という気持を捨てることにしました。煮豆も塩昆布も昔は「お母さんのはデパートのよりおいしい」といわれて、はりきって作ったものでしたが、それももうやめました。娘は私の作った煮豆も近所の奥さんに売ったらしいのです。

静さんの満六十歳の誕生日の翌日、私が魚屋へ行こうとして家を出ると、追いかけるように静さんが門を出て来て、後ろから声をかけました。私はあら、とい

って立ち止り、

「昨日はお誕生日、おめでとうございました。ご主人やお孫さんに囲まれてほんとうに倖せを絵にしたようでしたわ。私、二階から拝見してましたのよ」

そういうと、静さんの大きな眼にみるみる涙が出て、

「隣の庭の花はみんな赤いのよ！」

吐き出すようにいい、

「ねえ、少しお話ししません？　聞いていただきたいの、よろしかったら角屋へでも行きません？」

と私を誘いました。

角屋というのは時々、私と静さんが話し込むお汁粉屋です。もう間もなく夕食だからという私にかまわず静さんは、お雑煮を二人前注文し、それから暫《しばら》くしてアン蜜《みつ》を追加注文し、最後に「こんなに長くいては角屋さんに申しわけないから」といって、食べたくもない葛餅《くずもち》を頼みました。それほど静さんにはいいたいことが詰っていたのです。

静さんの話は誕生日の祝賀会の、いかにくだらなかったかということから始まりました。私が二階から、琉球絣の上下を着た静さんがご主人の卓造さんから紅バラの花束を貰《もら》っているのを見て、羨ましさに溜息《ためいき》をついていた時、静さんはに

ここに顔の下で、

「くそったれ！」

と思っていたのだといいます。

「おめでとう、ますます健康で、いっそうがんばって下さい。頼りにしていますよ」

と卓造さんがいい、頸《くび》を伸ばしてチュッと静さんの頰《ほ》っペタにキスをした時、家族の人たちが、わーっと笑って手を叩《たた》いている中で、静さんはまたしても、

「くそったれ！」

と胸に叫んでいたのだそうです。それからお嫁さんの正子さんが、

「満六十歳という年は生れた時の年と同じ干支《えと》に還る。おばあさまは大正十二年五黄土星《ごおうどせい》、亥年《いどし》のお生れなのね。そして六十年目の今年が同じ五黄土星の亥年に廻《めぐ》り会ったの。だから年が還る——還暦というのよ」

と子供たちに説明をはじめ、

「六十歳という年は、これから愈々《いよいよ》老年に入りますよという関門なのね。昔は六十歳がくると一切の公役を退いたものなの。家長の地位も譲ったんです。そうして子供のような無垢《むく》な気持に立ち還って下さいという意味で赤いちゃんちゃんこを贈るんですよ」

そういって、アンゴラジャージの赤い袖《そで》なしを、

「お洋服の上にもお召しになれますように」

とさし出した。その時も静さんは、

「くそったれ！　こんちくしょう！」

と胸に叫んでいたとか。

「正子さんっていうのはねえ、すぐしたり顔に三文知識をふりまわすのが好きなのよ。そしてその中に必ずアテツケが籠《こも》ってるの……」

静さんのそういう気持は私にもわからないではありません。「子供のような無垢な気持に立ち還って」とか「家長の地位も譲ったんです」とか……正子さんが何げなく知っていることをただ口にしただけであるとは私にも思えません。けれども、それはそれとして、静さんが恵まれていることは確かではありませんか。娘や息子がいても誕生日に誰からも祝ってもらえない人は沢山いるんです。

「でも静さん、それは少し贅沢《ぜいたく》じゃありません？」

つい私はそうたしなめるようにいってしまったんですが、静さんは、

「そうかしら？……」

不本意そうに口を尖《とが》らせて、

「でもね、勝代さん……私にはいうにいえない辛《つら》いことがあるのよウ……」

と低い声でいうと、その辛いことの代償のように、眼の前の葛餅を楊子《ようじ》で突っつくのでした。

静さんが何といおうと、静さんに本当に辛いことなんかある筈《はず》がないのです。何をいっても静さんの愚痴は私のとは違う。我儘《わがまま》です、贅沢です。そう思いながらじっと見返していると、いきなり葛餅に突き刺さった楊子が、勢《いきおい》よくポキンと折れました。

「どうなさったの、静さん――」

驚いていうと、静さんの手に残った楊子の半分は更に二つに折れました。

「勝代さんにはおわかりにならないわ……」

イライラ声でそういうと、

「私ね、もう、もう主人の顔を……見るのもイヤになってるの！」

急に女学生のようにはすっぱにいったのでした。

「えっ！」

私はびっくりし、あとは何といってよいかわからず、静さんの言葉を待つばかりなのでした。

卓造氏は戦争中、四十代の前半でもう中学校の校長になったというほど出世の早い人で、「謹厳」という字を入型にしたような先生だといわれ、父母の信望も篤《あつ》く、また生徒からも一目置かれていたということも、六、七年前、静さんと親しくなった頃に私は聞いています。

趣味といえば碁を打つことで、それ以外には何もない。酒もタバコもやらない。たまに忘年会などで隠し芸を求められると、

「わたしのラバさーん
酋長《しゅうちょう》のむすめ」

と歌って腰を振るのがせい一杯だったとか。その頃はそんな話をする静さんの表情はなごやかで、誰が見ても静さんと卓造さんは琴瑟相和《きんしつあいわ》しているご夫婦に見えていましたのに。

「男の真面目《まじめ》とか品行方正とか、あんなものは一文の値打もないものなのに、それをたいそうな美徳だと思って、心から尊敬して、不平不満ひとついわずに従って来たんです。私は」

漸《ようや》く静さんは口を開きました。

「もう何もかも、松本さんに聞いていただきますね。……うちの主人ときたら、女ひとり、十分に満足させられない未熟なエゴイストだったんですよ！」

私はドキン！ として静さんを見つめました。静さんがこれからいおうとしていることは、こんなお汁粉屋で口にするような事柄ではないのではないか！

けれども静さんはかまわず堰《せき》を切ったようにつづけました。

「私って、夫婦の間のこと、そんなものだと思ってたんですのよ。だって主人以外に経験がなければ、誰だってそう思いますでしょう？　結婚した当座こそ、毎晩のようにナニしましたけれど、秀一が生れてからは月に一度か二度。妊娠したとわかると、わかったその日から禁欲生活に入るんです。はじめは、この人はこんなことといって、本当はどこかで浮気をしてるんじゃないかなんて疑ったりして、心配だから私の方から誘いをかけましたら、まあその時の怒り方ったら……そんな淫《みだ》らな女とは思わなかったっていうんですの、身体《からだ》を考えろ、胎児のことを考えないのかって」

「普通の夫婦と反対なんですねえ」

「そうなのよう……」

静さんは廻《まわ》りの人がふり返るような声を上げて同意し、

「でもそれがわかったのは最近なの！　正子さんが買ってくる婦人雑誌でいろんなことを読んで、はじめてわかったんですよ！　女の悦《よろこ》びは男のそれよりも強いなんて書いてあるじゃありませんか！　いえね、それは私だって全く何も感じなかったってわけじゃありませんわよ。でも小説に書いてあるような、声を上げたり泣き声を出したりするほどのものとは思いませんでしたわ。それにあのしかただって……あんなに色々あったなんて知りませんでしたの。私ね、そういうことをするのは、男に身体を売る商売の人だけだと思っていましたのよ……だから、何も知らず、何も味わうことなくこのまま朽ちて行くのかと思うと……しかもですよ、主人はそれを当り前のことに思って、私が幸福な妻として一生を送れたと感謝しているだろうぐらいに考えていることが……私、もう許せないの……口惜《くや》しいの……情けないの……」

そういう静さんの、尖った眼に浮かんだ涙は、口惜し涙か、怒りの涙か。

「もう主人とは半年以上も交渉がありませんのよ。七十の声を聞いたんだから、長生きするためにそういうことはそろそろつつしもうね、というんです。主人は七十の声を聞いたかもしれないけど、私は七十じゃない、六十の声を聞いたばかりなんですからね！」

私はまるで、卓造さんその人であるかのように静さんに凝視され、何もいえずにうつむくのでした。

静さんと別れて家へ帰って来た時は、短かい冬の日はいつかもうすっかり暮れていました。

私は買って来た魚を煮つけると、食事を始める前に二階へ上って島本さんの家の様子を窺《うかが》いました。島本さんの居間はいつものように、シャンデリアが輝き、平和な夕食が始まろうとしているところです。

正面に静さんが見えます。静さんの両側は弓子ちゃんと勝ちゃんです。その向い側、私に背を向けて卓造氏と悟さんが並んでいます。そしてテーブルの右と左に秀一さんと正子さんが向き合っている。

静さんは勝ちゃんに魚の骨を取ってあげているようです。それから手を伸ばして卓造さんの小皿に、お惣菜《そうざい》を取り分けています。「クソッタレ！」と思いながらそうしているのでしょうか。

静さんから今日の話を聞く前と聞いてからとでは、同じ一家団欒《だんらん》の食卓風景にとても大きな差があります。

静さんが笑って何かしゃべっています。

「クソッタレ！」と思いつつ笑っているのでしょうか。

「卓造が憎らしいだけじゃないんですのよ。秀一も正子も憎らしいの」

静さんはそういってました。

なぜ息子夫婦が憎らしいかといえば、息子夫婦は、長男が高校生になっているというのに、いまだに三日に一度は交渉をもっているらしい。それが憎らしいというのでした。

静さんが、そんな形の不幸を抱えているとは、夢にも思わないことでしたけれど、でもやはり私には、静さんの不幸は少し贅沢に思えるのです。もし今神さまが、ではお前に死んだ夫を返してやる、息子も娘も優しくて可愛《かわい》かった子供の頃に戻してやる、そのかわりお前はアレを我慢するんだぞ、それでもよいか、といわれれば、私は喜んで「結構でございます。どうかそうして下さい」と答えるでしょう。

毎日することがないので、私はこうして毎日あったこと、思ったことを書くのを楽しみにしているのです。私は子供の頃から書くことが好きで、女学校時代は勉強もせずに手紙や小説のようなものばかり書いていました。

「将来の希望は？」

と先生から訊《き》かれて、「小説家」と答えたこともあります。その頃、教室で机が並んでいた山藤《やまふじ》さんは将来の希望はと訊かれて「外交官夫人」と答えていました。その山藤さんがこの頃活躍している小説家の山藤小夜子《さよこ》です。そして小説家を夢見ていた私は平凡なサラリーマンに嫁いで平凡な妻となり、平凡な未亡人になってしまいました。世の中というものは、ほんとうに意外性に富み、無惨で面白いものです。

「とうとう六十歳になってしまいましたね！　あの頃二人でいい合ったこと、憶《おぼ》えていますか？　六十になったらお互いにどんなになってるかしらん、って私がいったら、あなたは『そんなばあさんになるまで生きていとうないわ』って。でもとうとうここまで来てしまいましたね！　ご感想は？」

これはこのお正月に山藤さんから貰った年賀状です。本当に山藤さんは記憶がいい、四十二年も前のことをちゃんと憶えていて、こうして書いてくるのは、さすが作家です。そういえば学校から帰る電車の中で、

「いったいおばあさんというものは、何が楽しくて生きてるのやろう」

と二人で話したことがありました。

「うちのおばあさんは、一日中ブツブツ、お母さんの悪口いうてるわ。きっとあれが楽しみなんやわ」

と私がいうと、山藤さんは、

「うちの隣のおばあさんは、孫のお菓子をぶん取って食べるのが楽しみらしい」

といいました。

「おじいさんは碁を打ったり、盆栽の手入をしたり、謡《うたい》を唸《うな》ったり、散歩したり、

悪戯小僧《いたずら》を叱《しか》ったり、結構それなりに一日が充実してるみたいやけど、おばあさんはいったい、何してるんやろ？　どこのおばあさん見ても所在なさそうに坐《すわ》ってるもんねえ」

「盆栽の手入してるのはおばあさんやなくておじいさんやし、碁打ってるのもおばあさんやない、おじいさんやし、おばあさんが散歩してるところもあんまり見たことないし……」

「乳母車《うばぐるま》を押してるおばあさんはいるけど」

「用事をしてるおばあさんはいるけど、何か趣味みたいなものを楽しんでるおばあさんは見たことないわね」

そうでした、そんな会話の後で、私は「そんなおばあさんになるまで生きていとうないわ」といったのでした。

おばあさんになるまで生きていとうない、といった私が、六十歳まで生きた。ご感想は？　と山藤さんは軽くからかっているのです。

「もはや六十歳は老年ではなくなりました。今は熟年というのです。私たちはまだ『おばあさん』ではないらしいですよ。

子供たちは一人前になり、夫は一足先にあの世へ行き、何の心配もうるさいこともなくなった今日この頃です。今までしたくても出来なかったこと、いろいろいっぱい、これからやりたいと思っています。小説を書くこと。古典の勉強。食べ歩き。そして熱烈なコイも」

返事をこんなふうに書いてみると、少し気分が若返るようでした。勿論《もちろん》、そんなふうに書いてみただけで、本気で「熱烈なコイも」などと思っているわけじゃありません。また思えるものでもありません。もう六十歳になったら、なるべくはた迷惑なことはしないように心がける——これが還暦を迎えた人間のなすべきことだと私は思っているのです。

2

静さんの打ち明け話を聞いたあの日から何日か経《た》ちました。私にとっては夢にも思わなかった、驚天動地といっても大袈裟《おおげさ》だとは思えないくらいのお話でしたのに、静さんといえば、毛筋一本ほどの変りもない表情で、毎日決った時間に食事のテーブルに向いテレビドラマに出てくる一家団欒のシーンさながら、朗らかに笑ったりしゃべったり、それはそれは楽しそうに日を過している様子なのです。

ああして笑いながら、やはり胸に、

「クソッタレ！」

と叫んでいるというのでしょうか。

寒さが厳しくなって来ても、風のない晴れた日は、静さんと、ご主人の卓造さんは見るからにあたたかそうなラクダ色のお揃《そろ》いのオーバーを着て、仲よく同色の毛糸の手袋をし、卓造さんはハンチング、静さんは毛糸の縁なし帽子をかぶって散歩に出かけるのを見かけます。その姿は「幸せな老後のために」というようなキャッチフレーズで、養老保険の広告にでも出したいようなのですが、静さんにいわせると、

「その散歩だってねえ、楽しいことなんかちっともないんですのよ。もう四十二年も連れ添っていると、今更話すことなんか何もないでしょう？　二人ともだまァーって、トコトコトコトコ歩いているだけなのよ。それでもひと頃は『もう桜が咲きましたわねえ』とか『あの猫、いつもあすこにいるのねえ』なんて無理に話しかけたりすることもあったんですけど、この頃じゃもう、そんなふうに努める気持も起らなくなって、この間なんか後ろから車が来てるのわかってたんだけど、わざと黙っててやりましたのよ。そしたら、クラクション鳴らされて、びっくりしてよろけてるの、オホホホ」

ということで、いったい、どこまで信じてよいのやら、そんな話を聞いても、わざと偽悪家ぶってるんじゃないかと思えるくらい、住宅街の日溜りをゆっくり歩いて行く二人の後ろ姿は人間が行きつく最高の幸福の姿に見えるのです。

静さんのいい分は、何としても贅沢です、贅沢です。毎日のように私は静さんのいい分を分析し、熟考しますが、やはり贅沢だと思う気持に変りはありません。今度静さんに会ったら、そのことをとっくり話そうと思っていると、ある日、

「いらっしゃるウ？　勝代さーん」

と静さんが訪ねて来ました。

静さんの声は、東京生れの女の人らしく、本当に綺麗《きれい》で若々しいソプラノなのです。

「はーい。おや、いらっしゃい」

という私の声の、何と年よりくさく、ザラザラしてて野暮ったいこと。何年東京にいても不器用な私は大阪のアクセントが取れません。

「お邪魔してよろしいこと？」

いいながら、静さんは茶の間へ上って来て、

「ねえねえ、勝代さん、まあ聞いて下さいな」

炬燵に入って、ひとりで嬉しそうにクックッ笑うのです。この前の角屋での様

子とは全く違います。

「どうかなさったの、何だか嬉しそうねえ」

といいますと、ひとしきり一人で笑った後で、

「わたくしねえ、二十二歳の大学生からデイトを申し込まれちゃったのよ、オホホホ」

と、その笑い声はおかしくて笑うのではなく、まさしく嬉しくて笑うという笑い声なのです。けれどもわけがわからぬままに、相手の嬉し笑いを眺めている立場というものは何だか間が抜けていてあまり愉快なものではありません。その私の表情に気がついたか、静さんは笑うのをやめて説明をはじめました。

静さんの家には、二か月前から、夜更になると三日に一度か四日に一度、決って電話をかけてくる何者ともわからぬ男がいたのだそうです。

はじめの頃は、正子さんが受けては悪質な悪戯だといって、怒って切っていたのだそうですが、ある夜、秀一さん夫婦が子供さんたちを連れて映画を見に行った留守にかかって来たので、たまたま静さんが受話器を取った。そうしてこういう会話をしたのだそうです。

「はい、島本でございますが」

「もしもし……」

「はい」

「もしもし……」

「はい、何でございますか」

「奥さんですか？」

「はい」

——とつい、いってしまったのよ、と静さんは急に恥かしそうな顔になりました。

「だって、実際に奥さんなんですもの、どうしていけませんの？」

私がそういうと静さんは、

「だって向うは私を三十代か四十代の主婦だと思ってしまったのよう……」

と急に砕けて怨《えん》ずるように私を見ます。その眼差《まなざ》しの中に何だか名残りの色香のようなものが仄《ほの》見《み》えて、私は妙な気持になりながら、

「いいじゃありませんの、どうせ相手はどこの何者ともわからない悪戯電話の相手なんだから」

と答えますと、静さんはモジモジして、

「それがねえ、何度か話をしているうちに、向うがだんだん熱心になって来て、とうとう、会いたいっていい出してしまったんですのよう」

「何度か話をしているうちに」というのは、最初の電話で静さんが優しく応答したのがきっかけで、それから二度、三度、四度、五度と電話の回数が重なり、ついには時間を打ち合せて、正子さんたちが寝鎮った頃に話をするのが楽しみになってしまったのだというのです。

「へえーえ、まあ……それは……」

私はただそういうばかり。啞然《あぜん》として眺める私の目を意識して、

「あら、いや、勝代さん……そう呆《あき》れないで」

と打《ぶ》つ真似《まね》をする静さんは、妙に華やいでいやらしいのでした。

その電話の相手というのは、二十二歳の大学三年生で（本来ならもう大学を卒業している筈なのですが、二浪したのでまだ三年生とか）、最近急速に開けた東京のベッドタウンとなった埼玉県のR市のお医者さんの息子だとか。小学校の頃に母親が亡くなり、若い継母《ままはは》が来たので、家を出てマンションのひとり住いをしているのだそうです。

「家庭が複雑だから、何となく屈折してるらしいんですのね。ガールフレンドもいないらしくて、寂しいのね。それで、つい行き当りばったりに電話のダイヤルを廻して、寂しさを紛らせていたんですって……可哀《かわい》そうなのよ、話を聞いてみ

ると……」

静さんはしみじみいいました。

「それがねえ、話をしていると今時の学生には珍しくスレてなくて、淳朴《じゅんぼく》で、とてもいい子なんですのよ。寂しいのはあなただけじゃないのよ。みんなそれぞれ寂しさを抱えて、辛抱して生きているのよ、っていったら、そうですか、じゃあ、奥さんも寂しいんですか、っていうから、それは寂しくないといったら嘘《うそ》になるわ。でも、寂しいなんて言葉は口にしてはいけないと思ってるのよ、っていったら……奥さんってなんて素晴しい人なんだって……奥さんみたいな人と話をするのは生れてはじめてですって！……それで……とうとう、いい出したのよ。一度会いたいって……どうしても、会いたいって……」

テレビドラマのヒロインのように伏目になってそういった静さんは、急に、夢から醒《さ》めたような目を上げると、

「ねえ……どうしましょう！」

と、縋《すが》るように私を見るのでした。

「そんなに会いたがってるのなら、お会いになれば？」

私は横を向いてお茶をいれながら、わざと簡単にいいました。

「お会いになればって……勝代さん！」

静さんはもどかしそうに声を高め、

「あの子は私を三十代か四十代の主婦だと思ってるのよう……」

「だから会えば、はっきりするでしょう？」

私はわざとあっさりといったのでした。

会えばはっきりする。静さんが六十歳の女であることが。だから静さんは困っているのです。

だから困っているということが、私にはおかしくてたまりません。いや、おかしいというよりは、いやらしいというか、いじましいというか、〝おかしい〟けれども、愉快ではありません。愉快でないからこそ、私は何も気がついていないようなフリをして、わざとあっさり、いったのでした。

「だから会えばはっきりするでしょう」と。

静さんはもどかしそうに私を見つめていましたが、さすがに、

「それをはっきりさせたくないから困っているんじゃありませんか」

とはいいかねて、

「そうねえ……」

力なく呟《つぶや》いた後で、

「でも、なんだか……悪いような気がするのよ、失望させるのが……」

「失望？　どして？」

　またしても、わざと軽く何も知らぬげに私はいいました。

「そんな大袈裟なことでしょうかしら。笑ってすむことじゃありませんの？」

「…………」

　静さんは黙って炬燵布団のウズマキ模様を人さし指でなぞっています。肩を落して思い悩んでいるその風情は、私の目には何だかひとりでいい気になって芝居気分に浸っているように見え、私はついこれでもか、これでもかという気持になって、

「びっくりさせてごめんなさいね、私、こんなおばあさんだったのよ……そういって笑いとばせば、それですんでしまうでしょう？」

「そうねえ……」

　静さんはまだ布団のウズマキをなぞっています。相手の青年の夢を壊すのが辛いというよりは、彼の中で壊れてしまう自分が悲しいのでしょう。

「私、やっぱり、会わないでおきますわ」

　やがて決心したように静さんはいいました。

「どうして？」

「その方がいいのよ……」

「だって向うじゃ会いたがってるんでしょう？」
「ええ、それはもう、とっても……」
「じゃあ、お会いになれば？」
私はどうしても二人を会わせたいのでした。

とつおいつしながら静さんは帰って行きました。私は二階へ上り、三畳の窓から島本家を窺います。静かな昼下りです。子供たちは三人ともまだ学校から戻っていないので、居間には誰の姿もありません。正子さんはこの頃、クッキングスクールに通っているとかで、静さんは留守番をしていなければならないのにこっそり私のところへ来たりなどしたのは、よくよく思い余っているのでしょうか。それとも、思い余っているというよりは、これは惚気《のろけ》の変形かもしれません。

誰もいない隣家の居間を眺めていると、やがて静さんの姿が現れました。気のせいか元気なくテレビの前のソファに坐ります。テレビのスイッチを捻《ひね》ってぼんやり目をやっているようですが、本当に見えているのかどうか……。

私は視線を島本家の二階の東端の窓に移します。そこは卓造さんと静さんの部屋で、卓造さんは殆《ほとん》ど一日中、静さんにいわせると〃クソ役にも立たない反古《ほご》同然の古文書《こもんじょ》をいじくって〃いるのだそうです。

その卓造さんの〝古文書をいじくっている〟頭が黒く窓の奥に見えます。卓造さんが今、興味を持っているのは、何でも青森県の方にキリストのお墓というのがあるそうで、キリストはゴルゴタの丘でハリツケになったのではなく、日本へ逃げて来て、青森県の何とかいう小さな村で妻を娶《めと》り、子供も作って一生を終えた、というようなことを調べているのだそうです。

ではゴルゴタの丘でハリツケになったのはいったい誰なのか？

そう静さんが訊くと、それはキリストと瓜《うり》二つのイスキリという名前の弟だったらしいと卓造さんは答えられたとか。

夫がキリストの足跡について考えを廻らせている時、妻は顔も知らぬ電話の若者のことを思い煩っている——。

これが四十年あまり、苦楽を共にして来た七十二歳の夫と六十歳の妻の老後の姿なのです。私などが若い頃に考えていた〝老後の夫婦〟とは孫の手を引いてお寺参り、独り碁を打つ夫の傍《そば》でお茶をいれる妻、妻に新聞を読み聞かせる夫、繕い物をしながらそれを聞く妻、というようなものでした。

——もし私の夫が生きていたら、今頃はどんな夫婦になっているのかしら……。

そう思いながら島本家の二階を見たり、階下《した》を見たり。

「この頃はもう、顔見るのもいや！　のどを絞められた鵞鳥《がちょう》の今わのきわみたいな声を出してウガイをするの。それが一日の始まりなのよ！　そして夜は夜で、ゴロゴロゴロゴロ、痰《たん》がのどにからまってるような、キモチの悪い音をたてて眠るの。勝代さん、おわかりになる？　私のキモチ……」

と静さんはいいましたが、卓造さんは好きでそうしているわけでなし、年をとるということはそういうことなのではないのでしょうか。静さんだって七十になった時は同じようになっているかもしれないのです。

しかし、そんな私の感想もうっかり口にすると、ますます静さんを興奮させそうなので、私はただおとなしく、

「そうねえ……」

と半笑いの顔で肯《うなず》くだけに止《とど》めておいたのです。

そういう静さんの方だって、自分ではどう思っているのかわからないけれど、黒く染めた髪の毛の根元にぞっくり白髪が覗《のぞ》いていて、まるで額の生え際に白線を刷《は》いたような具合になっているのもかまわず、厚手のスカートの下から毛糸のおこしが一寸も覗いているといった格好で、庭を掃いていることだってあるのです。

そんなことを思いながらぼんやり視線を漂わせていますと、突然、飛び上るような感じで静さんがソファから降りました。

ソファから「立ち上った」のではなく、「降りた」というのは、ソファに腰をかけていたわけではなく、その上にどてーッと横坐りしていたからです（この年になると椅子《いす》の生活もなんだか疲れますのよ。私たち日本人はやっぱり坐ったほうがらくなんですのよねえ……といつかも静さんは角屋の椅子の上にチンマリと坐ったものでした）。

ソファから飛び降りた静さんは、大慌てで部屋を横切ったと思うと、部屋隅の電話の受話器を取りました。

あの慌てようはもしかしたら、例の若者からの電話かもしれません。どんな顔で話しているのか、私は思わず窓ガラスに額を押しつけましたが、電話台は居間の奥の隅にあるので静さんの立っている後ろ姿のお尻のあたりしか見えません。でもとても長い電話です。静さんの、（きっと毛糸のおこしのためにそうなっているのでしょうが）ものすごく厚ぼったい、イタリア女のような大きなお尻を包んでいる茶色のスカートが、時々、右に左に動くのは、静さんの心の波立ちを物語っているのかもしれません。

卓造さんは？　と目を二階に移しますと、机に向っている黒い影はさっきのままです。

この光景は悲劇なのか、喜劇なのか、寂しいなアと思うべきなのか、ただ笑って見ていればいいのか、私はわからなくなってしまいました。

夜、私は急に山藤小夜子に会いたくなりました。そんな気持になったのは、昼間の静さんの打ち明け話に刺激を受けたこともあったでしょうが、宵の口のテレビに山藤さんが出て来て、還暦を迎えた感想を訊かれ、

「己を知ることから始めたいと思っています」

と答えているのを見たためだと思います。

――ホントにそうだわ！　静さんも己を知ることから始めてほしいものだわ！

と私は思い、何だか急に山藤さんと話をしたくなったのです。

私は長い間、開けてみることもなかった同窓会名簿を探し出して、山藤さんの電話番号を見つけると、すぐその場でダイヤルを廻します。呼出音が三つと鳴らぬうちに、ガチャと受話器の外れる音がしていきなり、

「山藤です」

とぶっきらぼうな声。

「山藤さんですか？　小夜子さん？」

「はい、そうですが」

「しばらくウ。私、松本勝代――」

懐かしさに思わず声をはり上げましたが、山藤さんは、

「あ、カッチン、どうも」

女学校卒業以来、年賀状のやりとりだけの間柄とは思えない、まるで昨日会ってた人のような無造作ないい方です。

「お年賀状ありがとう！　お元気でご活躍、ほんとうにおめでとうございます」

一応、型通りに挨拶《あいさつ》をしましたが、山藤さんは、

「はあ、いや、どうも」

と男のようにいうだけで、

「べつに活躍ってわけでもないけど、養ってくれる人がおらんからねえ、働いてるだけですよ、アハハ」

「あら、そんなことといって……でもさっきテレビでいいことおっしゃってたわねえ。六十になって、己を知ることから始めたいって……私ね、この頃、感じてることがあるものだから、あの言葉がジーンと胸に来たのよ。それで何だか急に声が聞きたくなったの」

「ふーん、そう……」

山藤さんは何の愛想もなくそういうと、

「あんなのはね、口から出まかせにいってるのよ。ああいうところでは何かこう、もっともらしいことといわなきゃならんでしょ、だからね、ワハハハ」

と笑いとばしたのでした。

3

人間というものは心に何らかの感動を抱くと、それを他人に告げずにはいられなくなるものなんだなあ、と昔、私の死んだ主人がいったことがあります。主人は息子が生れたとき、見ず知らずの往来の人にまで、「生れたんです！　男の子です！」と呼びかけたくなったといっていました。

裏山に人知れず咲き誇っている桜を見れば、その美しさをほかの人にも教えたくなります。夫の浮気や姑の仕打ちや子供がプレゼントをくれたことや、入学試験に合格したことや……苦しいにつけ、嬉しいにつけ、人はみんなそれを口に出さずにはいられなくなります（もっともうちの親戚には宝クジに当っているのに、一言も洩《も》らさなかったケチもいますけれど）。それが人情の常というものではありませんか。

前置きが長くなりましたが、私が山藤さんに電話をかけたくなったのは、つまり、そんな衝動だったのです。私はもう、誰かに静さんのことをいわずにはいられなくなったのです。丁度、静さんが私に「電話の彼」のことをいわずにはいられなくなったように。

静さんがいわずにいられなくなったのは「嬉しさ」のためでしょう。しかし私がいわずにいられなくなったのは……何でしょうか。「驚き」かしら……「怒り」かしら……それとも「口惜しさ」？……まさか、静さんに「電話の彼」が出来たからって口惜しいわけはありません。バカバカしい……そう、あんまりバカバカしい話を、静さんが本気で喜んでいるので、そのバカバカしさが増幅されて憎らしくなって来たのです。ほかにしゃべる相手もいない一人暮し。その憤りが胸の中で次第に醱酵《はっこう》して行って、ブクブク、ブクブク、泡立って来て蓋《ふた》を押し上げて溢《あふ》れ出て来たのです。

私は山藤さんに、静さんの話をしました。

悪戯に電話をかけて来た学生と気持が通じ合うようになったこと。

その学生が頻《しき》りに静さんに会いたがるようになったこと。

それで静さんは悩んでいること。

なぜ悩むかといえば、自分が六十の女であることがわかってしまうから。

山藤さんはふーん、ふーん、といって聞いていましたが、話が一段落すると、

「うーん、ワカル……」

唸るようにいいました。

「ワカル？」

「うん、ワカル。カナしい話だわねえ」

「カナしい」というよりは、「いやらしい」話ではないのでしょうか。私はそう思いつつ、そういえずにいると、山藤さんは、

「カナしいけど、でも声援したいような話だなア」

といいました。

「声援？」

私は我が耳を疑い、

「私は反対したいわ。女が年甲斐《としがい》もないことを考えたら無用の苦しみを苦しむだけでしょう」

「だけど、そんなことといってもしようがないのよ」

山藤さんは落ちつき払っていいました。

「ねえ、人間の心にはワカッテイルケド、ヤメラレナイ、ってことがあるんだから」

「そんなことないわ。そんなことないと思うわ」

思わず私はムキになりました。

「わかっていれば、やめられるわ。やめるべきです。やめようと努力するべきで

しょう。わかっているけどやめられないのは、十代や二十代の若い連中のことですよ。少くとも不惑を過ぎて二十年も経った者は……」

山藤さんは私の言葉をよく聞きもせず、

「カッチン、まあ、そうムキになりなさんな」

あやすようにいうのです。

「この世の中、いろんな人がいて、いろんな人生があって、それでオモロイんだわ。けれど我々が育つ頃はそう教えられなかった。女のあり方、生き方、女の倖せ、ひとつに決められてた。そうでしょ。でもそれが今になってやっと変って来たんだわ。人それぞれである、それでよいのだ、ということになって来た……」

「だから六十になって血迷う人間が出て来たんでしょう。それくらい私にもわかるわ」

「血迷う、じゃなくて、目醒めるといってほしいわね」

目醒める――。

目醒めるのはいいけれど、そして、その後、どうなるんですか。自分ひとり目醒めてもどうにも出来ない現実の重みというものがあるのです。年甲斐もなく目醒めてはハタ迷惑。それに傷つくのは自分自身じゃないですか。

「いいじゃないの、傷ついても」

山藤さんはあっさりいうのでした。

「一度も傷つかず、傷つけもしなかった人生なんて、おならみたいなもんだわ」

そんな私の気持も知らず、静さんはとうとう「電話の彼」と会うことになってしまったことをいいに来ました。

「とうとう……とうとう……会うこと、ウンといわされてしまったのよ」

静さんはそういいました。その声音は新派調というのでしょうか、水谷八重子風とでもいうのでしょうか、へんに情感が籠《こ》められています。私はムカムカしながら、けれども気弱く、

「そう、それはよかったですわねえ」

といいます。

「ほんと？　よかったと思って下さる？」

静さんは私の目をじーっと見、

「でも、私……何だか……心が浮かないの」

相変らず新派調です。

「どうしてって……わかって下すってるんでしょ？」

そういってふーっと溜息をつきます。

「何ですの？　もしかしたら年のことですか？」

「そうなの……」

静さんは重たく肯いて、

「あの子ったら、こういうの。『奥さんは三十代かな、四十代かな』って。それで私、『もうおばあちゃんなのよ』って……そういったんだけど……」

「そういったら？……何ていいました？」

「でも、ぼく、年なんかどうでもいいんです、って……」

「そんなら、いいじゃありませんか」

「でも……」

静さんは溜息と一緒にいいました。

「でも私……、あの子を失望させたくないのよ……」

「彼は失望なんかしませんよ。だって、彼はあなたに若さを期待してるわけじゃないんでしょう？　孤独を慰めてくれる人を求めているだけなんでしょう？」

「ええ、それは……そう……」

静さんは素直に肯きましたが、すぐ、

「でも、六十のおばあちゃんだとわかったら、やっぱり失望するわ、きっと……」

と話はどうどう廻りをします。

「じゃあ、会うのをやめれば？」

突き放すようにいいますと、

「でも、これ以上……もう、断れないのよう……」

また新派調で溜息をつきます。

静さんは今、人生最後の夢の世界に入ろうとしているのです。けれどもその静さんの足を現実が引っぱる。入りかけては引っぱられ、入りかけては引っぱられ……。足を引っぱる現実を蹴飛《けと》ばそうと静さんは髪を栗色《くりいろ》に染め、眉《まゆ》を剃《そ》り込み、化粧が少しずつ丁寧になって行っているのです。これ以上、もう断れない、というよりは、静さん自身、「電話の彼」に会わずにはいられなくなっているのでしょう。

それから三日後に静さんはとうとう「電話の彼」に会いに行きました。朝の一番に美容院へ行き、それからフランス屋でハイヒールを買ってそれを履いて行く、という話でした。ハイヒールの相談を受けたとき、私は年をとってからのハイヒールは、ふだん履き馴れていないとどうしてもヘッピリ腰になる。だから中ヒールの方がいいのではないかと意見を述べたのですが、静さんは中ヒールは野暮ったくなるからいやだというのです。旗を掲げて行く男の後ろから、一列になってゾロゾロついて行く熟年団体旅行はみな中ヒールを履いているからいやだというのです。

静さんがどんな装いで出かけたのか、私は見ることが出来ませんでした。それくらい早く静さんは家を出たのです。

その日一日、私は落ちつきませんでした。なにも隣の奥さんが若い男に会いに行くからといって私が落ちつかないでいることはないのです。でもそんなことが刺激になるのは、それほど、私の生活は何もないつまらないものだといえるかもしれません。

静さんが帰って来たのは、夜でした。

私が食事の片付けを終って、手にハンドクリームをすり込んでいると、電話のベルが鳴って、静さんの声が受話器の底に、

「さっき、帰って来ましたのよーン」

と甘く響きました。それだけで今日の首尾が上々だったことがよくわかる声です。

「いかがでした?」

「まずまず、ってところかしら……フフフ」

と含み笑い。

「ハイヒールになさったの？」

「ええ、エナメルの」

前日の心配はどこへやら、自信に満ちた声が答えます。

「あのねえ、私、四十八に見られちゃった……フフフ」

「まあ、四十八……」

「そうなの、それがねーえ……」

とまでいってから、急に、

「あ、じゃあ、またあとで……失礼します、ごめんなさい」

誰かが居間に入って来たのでしょうか、そういって電話が切れました。それが八時頃でした。

もう一度電話がかかって来たのは、もう夜中に近い頃です。

「もしもし、やっと、今、皆、引き上げましたのよ」

静さんの声は低いけれども、潤んでいます。

「早くご報告したくて、さっきからイライラしてましたの。チビがテレビを見てて、なかなか寝ないものだから……」

そう前置きしてから静さんは、まず「電話の彼」は「岡隼人《おかはやと》」という名前だといいました。

「お医者さんの息子だけあって、いいマンションに住んでるのよ」

お互いに顔がわからないので、静さんは彼から道順を教わって、彼の部屋で会うことにしたのだそうです。

彼の部屋はマンションの五階、純白の一LDKで、近くに明治神宮の森が見え、上々の環境なのだそうですが、掃除が行き届いていなかったり、洗濯物が山積みになっていたり、花の一本もなく、絵のひとつも懸《か》かっていない、ただ真白い壁が寒々しいだけの、彼の孤独がひしひしと身に染み入るような住居であったということです。


静さんはこと細かに話しはじめましたが、私にとってはそんなことはどうだっていいのです。

彼は静さんを見て、どんな反応をしたか。四十八に見られたというのは本当か。それを早く知りたいのです。

「で、どうでした？　例のことは」

「例のことって？」

とわざとらしく訊き返します。

「ほら、心配してらしたこと。失望させるんじゃないかって……」

「ああ、あのこと……ク、ク」

静さんは咽喉《のど》と鼻の間で笑い、

「彼ったらねえ、こんな素晴しい人とは思わなかったって……そんなことというの……」

一瞬、私は言葉を見失い、

——それ、ほんとう！　ホントのホント？

と叫びたいのを抑えて、

「まあ、それはよかった……素晴しいじゃありませんか……」

「あのね、想像してたよりもきれいだったんですって！　彼、マザコンなのかしら。若い女の子を見ても、魅力的だなあって思ったこと今まで一度もなかったっていうのよ……」

「まあ、それで、あなたを見てはじめて魅力的だなあって思ったってこと？」

「ウフン、まあネ」

——今まで女とつきあったことがないから、六十女も四十八に見えたのね！

心の中でいいながら、私は静さんの言葉を聞きます。

「それがねえ、とっても可愛らしい顔してるの。色が白くて、上品で、唇が桜色で、眼は細いけど、すーっと切れ長で、それに背は高いけど、身体つきがほっそりしてて、なんだか、いじらしいようなのよ」

——ふーん、おカマじゃないでしょうね、といいたいのも抑え、

「まあ、そんな美少年なの？　よかったわねえ」

何がよかったわねえなんだか、と思いながら私は相槌《あいづち》をうつのでした。静さんのおしゃべりはつづきます。

「お昼頃に行ったものだから、サンドイッチと果物を持って行ったの。それを一緒に食べたでしょう。だから夕飯に間に合うように帰ろうとしたんだけど、帰してくれないのよ」

「まあ……」

「仕方なく、食べに出たの。イタリア料理を……ぼくに奢《おご》らせて下さいって……ホ、ホ、私、可愛くなっちゃって……」

「まあ、結構でしたわねえ」

「それでねえ、また約束させられちゃった」

「何の？」

「次のデイトのよ、オホホホホ……」

「いつ？」

そうなるまいとしても私の声はつい堅くなってしまいます。

「土曜日――」

「土曜日といったら……明後日《あさって》じゃないの！」

「そうなのよ、オホホホホ」

とまたしても高々と笑うのが口惜しい。

「仕方ないから、じゃあ洗濯に来てあげるわっていったら、きっとですよ、きっとですよって、ユビキリさせられちゃった……」

私は話を聞いているのがいやになって来ました。

「じゃあね。もう遅いから、今夜はこれで……」

「あらッ、もう一時……ごめんなさーい。じゃあまた明日……」

「ええ、つづきはまたいつか次の機会に」

「明日、お伺いしてもよろしいかしら」

「え？　ええ、……どうぞ」

仕方なくそういって受話器をおろしました。

暫くぼーっとして坐っていました。

胸の中にモヤモヤと蠢《うごめ》き広がって行くものがあります。金魚の古鉢を揺さぶった時のような青ぐろいドロドロが、モヤーッと立ちのぼり、身体いっぱいに広がって行くような。

ほんとうに何という妙な世の中になったのでしょう！　新聞や週刊誌はこの頃、頻りに老人の性の問題を取り上げていますが、いったい、あれは何のためなんでしょうか。昨日もテレビに老人ホームの世話係だという若い女が出て来てこんなことをいっていました。

「これまでは男性と女性の部屋は別々に分けていたのですけど、いろいろ考えて、ためしに一つの部屋に同居させました。そうしますと、それまで一日中、ステテコひとつでいたおじいさんが、急にきちんとした服装をするようになったりですね、みんなお行儀よくなって……おばあさんの中には薄化粧をする人も出てくる有さまで……それにお互いの間に優しさ、思いやりなども出て来たようでございます」

するとと司会者が、

「やっぱり、老人の性の問題は大切なことなんですね。今までそれがなおざりにされ過ぎていた、そのために起った不幸もあったでしょう」

「そうなんですの。私たち若い者は、もっと老人の性に対して理解を持たなければと思います」

「ほんとうにそうですね。人間、灰になるまで……と申しますから」

ホホホ、ハハハ、と笑い声が流れ、私はパチン！　とテレビのスイッチを捻ったのでした。

まったく、何という世の中でしょう。若い者がしたり顔に、まるでパンダの研究でもしているように、部屋をひとつにしたらどうなったとか、こうなったとか、なにが「薄化粧をする人も出てくる有さまで……」ですか！

すると婦人雑誌は婦人雑誌で、老人でも性欲はある、というタイトルで五十代、六十代、七十代、八十代の男女のアンケートを取ってそのパーセンテージを出しているのです。

いったい何のためにそんなことを公表しなければならないのか。

「あなたは性衝動を感じますか？

それは月に何度ですか。

そのとき、あなたはどうしますか。

自慰をしますか。

するとしたら月に何度しますか。

性欲のために異性を必要とするとお思いですか？」

そんな無礼な質問にヘコヘコして答える人の神経を私は疑います。もし私に訊く人がいたら私はこういってやろうと思います。

「そんなもの、もうとっくにございません！」

そう答えるのが女のたしなみというものではありませんか。たとえ実際はどうであろうとも。

夫婦とは

1

ある日、静さんは大きな紙袋を持って私の所へやって来ました。そしていきなり、

「勝代さァん、お・ね・が・い――」

というのです。この頃、静さんは前に比べて、なんだか馴《な》れ馴れしいというか、甘ったるいというか、若ぶっているというか、女学生のようなもののいい方になっているのに私は気がついています。以前の静さんなら、

「勝代さん、お願いしたいことがあって伺いましたのよ」

というところです。それが、いきなり、

「お・ね・が・い」です。

私はなんだか面白くなく、つい無愛想に、

「なんですの？」

玄関に立ったままいいましたが、紙袋から覗《のぞ》いている毛糸の束に、もう静さんの「お願い」が何であるかはわかっているのでした。

前にも一、二度、私は静さんに頼まれて、編物をしてあげたことがあります。一度はご主人の誕生日にプレゼントする膝掛《ひざかけ》で、もう一度は勝ちゃんが生れた時のケープです。

今度は誰のためのものか、聞かなくても私にはもうピンときています。

「ま、お上り下さいな。どうぞこちらへ」

茶の間の炬燵《こたつ》に静さんが坐《すわ》って、紙袋から毛糸を取り出すのを見て私はいいました。

「カレに？……ね？　そうでしょう？」

「そうなの」

静さんはテレたように小首を傾け、紙袋から取り出した毛糸を炬燵の上にのせました。

「勉強をするときに脚が冷えないようにと思って……」

「膝掛ですか？」

「そうなの、たっぷりしたのをね」

毛糸は明るいブルウです。それにエンジの束が少し加わっています。

「エンジを端に一筋入れたら若々しくなるかと思って……」

「いいでしょうねえ。ステキよ」

「足りるかしら」

私は毛糸を数え、

「十分ですわ。これを全部使ったら、とっても大きいのが出来ますわ。この前、ご主人のを編んだ時は少し小さかったでしょう？」

「ええ、あの時は毛糸を倹約しましたから」

静さんはフ、フと笑って、

「今度は倹約なんかしないで、たっぷりしたものを作っていただくわ。第一、主人とは脚の長さがちがうんですから、ホ、ホ、ホ」

嬉《うれ》しそうに、まるで自慢するような笑顔です。

――脚ばっかり長くても、アタマの方が空っぽじゃあねェ。

といいたいのを我慢して、

「今の若い人は脚だけは長くなりましたわねえ」

「脚だけは」の「だけ」に力を入れましたが、静さんは感じたふうもなく、カレの大学では近々、後期のテストが始まるので、これから毎晩徹夜勉強をしなければならないのだというようなことを話し出しました。

カレは前期のテストの結果が悪かったので、今度失敗すると進級が覚束《おぼつか》ないとか。二浪してやっと入れた大学で、また留年するとなったら、卒業する時はいったい幾つになるのでしょう。

それで静さんは心配して、徹夜勉強のために膝掛を贈ったり、夜食の心配をしたりしているのです。カレはインスタントラーメンばっかり食べているとか。

「ああ、私が一人暮しだったらなあ……とどんなに思うか……」

静さんはしみじみいいました。

「独り身だったらそばにつきっきりで、あったかい雑炊とか、煮こみうどんとか、お雑煮、ラーメン……何でも好きなものを作ってあげられるんだけど……」

夫、息子、嫁、孫がいると、外出するにもいちいち出先をいわなければならないのが辛《つら》いというのです。

仕方なく静さんは稲荷《いなり》ずしや幕の内弁当を作って（それも正子さんの留守の間に大急ぎで作って）昼のうちに届けておく。すると夜更に電話がかかって来て、

「ご馳走《ちそう》さまでした。とってもとってもおいしかった……」

と礼をいってくる。その一言を聞くのが一日の最大の喜びなのよ、と静さんはいうのでした。

出来るだけ早くね、といわれて、私は大急ぎで膝掛を編み上げました。二日で編み上げ昼食もそこそこに仕上げをし、風呂敷に包んで島本家へ届けに行きました。

明日の午後、カレのマンションへ行く約束になっているので、それまでに仕上げてね、という電話を前の日に貰《もら》っていたからです。

私は勝手口から入って行って声をかけました。この日は正子さんは料理教室へ行って留守の日の筈《はず》なのです。ところが、私が入って行くといないと思っていた正子さんが、台所の流しで水枕《みずまくら》に氷を入れているではありませんか。

「あら、正子さん、今日はお料理教室の方は？……」

びっくりしていいますと、

「それがねえ、出かけようとしたら、おじいちゃまが熱を出して……」

という返事です。

「熱を？　お風邪ですか？」

「多分、そうだと思うんですけど、おばあちゃまがいらっしゃらないもんですから私、お休みしましたの」

「あら、お出かけですか？　どちらへ？」

「それが美容院なんですのよ」

気のせいか正子さんは冷たい口調でいいました。

「この頃、うちのおばあちゃま、なんですか、とってもおしゃれになって……年をとったら、若い者よりも身だしなみをよくしなければ、汚らしい感じを人に与える、って、テレビでいってたとか……ホホ」

顔は笑わずに意味のあるようなないような笑い声を立てました。

「ところで、おじいちゃまのお熱の方は？」

「昨夜《ゆうべ》から咳《せき》が出て、何だか熱っぽい顔だったんですよ。それでおじいちゃまお薬、召し上った方がよろしいですよ、っていってたんですけど、私が忙しくしていたものですから、つい忘れちゃって……」

「お熱は高いんですか？」

「三十八度もあるんですの。昨夜のうちにおばあちゃまが気がついて下さればよかったんですけどねえ……大丈夫、たいしたことないわよ、っておっしゃって……」

氷を砕きながらいう正子さんの口調には、「これはおばあちゃまの責任ですよ！」という憤慨が籠《こも》っているのでした。

静さんが美容院へ行ったのは、カレのマンションへ行くつもりをしているからに決っています。カレのマンションへ行くのは、膝掛を届けるためもありますが、それ以外にトンカツを揚げてあげるという約束もしているのでした。ですから美容院の帰りが遅いのは、少し遠くて高いけれども、おいしい黒豚を売っていると評判の肉屋まで足を伸ばしているにちがいないのでした。

「おじいちゃまって、ホントにいい方なんですのよ。おとなしくって、辛抱強くて、おかずの文句なんか一度もおっしゃったことないし、お金を使うわけじゃなし、ただ黙々と研究に打ち込んでいらっしゃるだけ……熱が出ていても黙って我慢なさってるのね、だから傍《そば》についてる者が気をつけてあげないと……」

正子さんは憤慨に耐えぬといわんばかりに力をこめて氷を砕き、

「おばあちゃまって、ホントに恵まれていらっしゃる方、ホント、羨《うらや》ましいですわ、あんないいご主人を持って……」

ザラザラと砕いた氷を水枕に入れた時、足音がして勝手口の戸が開きました。びっくりするようなファンデーションの厚化粧。額の左右に栗色のカールが垂れているのは、この頃、とみに薄くなって来た生え際を隠そうとの配慮でしょう。

「おばあちゃま、たいへんですのよ、おじいちゃまが……」

正子さんはおそらくは憤慨のためにそうなったのでしょう、びっくりするような甲高《かんだか》い声でいいました。

「三十八度もお熱が出てますの、ですから私、料理教室休みましたのよ」

その時の静さんの顔といったら、驚きというよりは、殆《ほとん》ど怒り顔といった方が近かったと思います。

「昨夜《ゆうべ》からゾクゾクするっておっしゃってましたでしょ？　やっぱりお風邪だったんですわ。早いうちに風邪薬を上った方がいいと思ってたんですけど……」

正子さんの声には一種批難がましい響《ひびき》があります。

「私、出かけようと思って、おじいちゃまのところへご挨拶《あいさつ》に行きましたの。そうしたらあんまり真赤な顔していらっしゃるもんだから、どうなさったんです、って額に手を当てたら、燃えるようなんですもの……びっくりしてベッドに休んでもらったんですの。きっと朝からもう、熱があったんでしょうねえ」

静さんはまるで理不尽ないいがかりでも持ち出されたようにムッとこわばっています。

「そんなんならお風呂になんか入らなければいいのよ！」

吐き出すようにいいました。

「子供じゃないんだから、自分の健康管理は自分でしなくちゃ……寒い寒いっていいながらお風呂に入ったりして……」

「私たちで止めればよかったんですよ」

と正子さん。

「そんなことまで、気を配ってられないわ、赤ン坊じゃあるまいし……」

静さんはまるっきり喧嘩腰《けんかごし》です。

卓造氏の熱が三十八度もあると聞いた途端に静さんの頭に閃《ひらめ》いたことは何だったでしょう。

それはまず第一にトンカツを待っているカレのことだったと思います。それから膝掛のこと、そして折角セットしたアタマのこと。そうして最後に熱を出した卓造氏への心配――ではなく楽しみを発熱によって妨害されたことへの憤りだったと私は思います。

呆然《ぼうぜん》とその場につっ立っている静さんに、正子さんは水枕をさし出しました。

「はい、おばあちゃま、お願いしますわ」

ぼんやりしたまままそれを受け取ると、静さんは黙って台所を廊下へ出て行きました。私は帰ろうか帰るまいか、風呂敷包みの中の膝掛をどこへ置いたものやら迷っていますと、

「勝代さん、ちょっと」

という静さんの声が、階段の方から聞えて来ました。

急いで台所を出ると、階段の蔭から静さんが黙って招きます。

「今日、お忙しい？　勝代さん」

そばへ行った私に声を潜めていいました。私が首を横にふると、

「おねがい。私の代りに……行って？」

胸の前で手を合せます。

「行くって？　どこへ？」

「カレのところ……今、ここに地図を書きましたから」

そういうと静さんのひそひそ声に急に力が入って、

「今、計ったらおじいさんたら、三十九度も熱出してるの」

オレンジ色の口紅を塗った唇が曲りました。

「三十九度！　三十八度じゃないんですか」

「今、計ったらまた上ってるんですよ！」

イマイマしげにいいます。

「いくらなんでも、三十九度もあってはほったらかして出かけるわけには行かないわ」

「それはそうねえ」

「だからお願いしたいのよ、私の代りに行って、トンカツ揚げてやって下さらない？　ね、おねがい……おねがい……」

「でも、見ず知らずの私が行ったんじゃあ……」

というのをせっかちに遮って、

「そんなこといわないで……待ってるのに可哀《かわい》そうなのよ、きっとお昼は抜いてるにちがいないの、ね？　おねがい……」

と私に紙袋を押しつけます。

「この中に豚肉とパン粉、油も入ってます。あと小麦粉は向うにあるわ。それから、カレ、キャベツの繊切りが好きだから、沢山作ってあげて……」

二階から卓造氏の、痰《たん》のからまった苦しそうな咳が聞えて来ます。

「たいへんねえ……苦しそうねえ……」

思わずいうと静さんはムッとした顔になって、

「あの人は昔からいつもこうなの、私が楽しいことをしようとすると必ず邪魔をするのよ。実家《さと》の父の喜寿の祝いで姉妹が皆集った時だって、いきなり下痢が始まって赤痢の疑いで大騒ぎ、私だけ行けなかったのよ、それに銀婚式だというので息子たちがお祝いをしてくれることになった時だって……あの時は何だったかしら？……出張だったかしら、いや、ちがうわ、大学時代の親友が飛行機事故で亡くなったんだったかしら……いや、あれは銀婚式じゃなくて、京都の妹から紅葉を見にいらっしゃいって誘われて、新幹線の切符まで買ってあったの、あの時……」

と話はどこまでもつづきそうなので（その間も二階の咳はひっきりなしにつづいています）、私は気が気でなく、

「咳がたいへんよ、行っておあげになれば」

と話を切りました。こうなったら卓造氏のためにも私がカレのマンションへ行った方がよさそうです。

「じゃあ、お願いね、いずれまた、ゆっくりお礼します」

静さんは紙袋を私の手に押しつけて、そのまま階段を上って行ってしまいました。

仕方なく私は豚肉の入った紙袋と、膝掛を包んだ風呂敷包みを持ってバスに乗りました。

「仕方なく」と書きましたが、仕方ない気持は半分で、正直いってあとの半分は好奇心でいっぱいなのでした。

静さんの地図に従って地下鉄とバスを乗り継ぎ、静かな住宅地の中の煉瓦《れんが》造りのマンションを見つけました。エレベーターで五階へ上ります。エレベーターを出たところから、三つ目のドアの前でチャイムを押しました。私とは何の関係も

ないカレなのに、なぜか胸がドキドキしているのです。と、待ちうけていたようにドアが開きました。そして私の目の前に真赤なセーターが眩《まぶ》しく飛び込んで来ました。

今になって考えてみると真赤なセーターの、その赤の鮮かさに目を奪われたというよりも、そのセーターの、大きくV字型にえぐった胸もとに、まるで女のように白い素肌が覗いている、その若い艶《つや》に目が眩《くら》んだ、という方が当っているかもしれません。

「あのう……私……」

といいかけると、

「今、電話がかかりました……」

羞《はず》かしそうにいってにっと笑います。笑うと右頬《みぎほお》にエクボが現れて、若い獣の牙《きば》のような糸切歯が覗くのです。

全く「あっ！」と声を上げそうな愛らしさでした。こんなハンサムが、何を好んで見ず知らずの家に電話をかけ、六十のばあさんと友達になって喜んでいるのでしょう。私がマジマジと顔を見ていますと、カレは羞かしそうに片エクボを見せて、

「どうぞ、入って下さい……」

といいます。気がついて私は中へ入りました。入ったところは十二畳ばかりの洋室で、一方にキッチンがあり、その前にカウンターふうの食卓を置いて居間との区切りをつけています。私はその上に紙袋の中の物を取り出して並べました。

「お腹空《なかす》いてるんでしょう？　すぐに支度しますからね」

といって用意して行ったエプロンをかけました。本当は急いで来たので、お茶で咽喉《のど》を潤したいのですが、なぜか、私はこの美しい青年と向き合ってお茶を飲んだりするのがテレくさく、いたたまれないような気持がしたのです。

考えてみたらこの十年、いや二十年……いやそれよりもっと長い年月、私は男と会って胸がときめいたことなんかなかったのです。私はそのことに気がつきました。男を見て異性を感じたのはいったいいつ頃のことだったでしょう。いつの間にか、私にとっては男も女も、すべて変りのない同性になってしまっているのでした。

新聞配達、郵便配達、巡査、八百屋、魚屋、酒屋、ミシンや化粧品のセールスマン……あの人たちはそれぞれに新聞配達員であり八百屋でありセールスマンであって「男」ではありませんでした。卓造氏は「静さんのご主人」であって「男」ではない。街を行く男、バスの乗客、それぞれに「歩行者」であり「バス

「の乗客」である以外の、どんな男でもない。男性と話をするのに落ちつかなかったり、目を合せられなかったり、アガったり、テレたりしたことは一度もありませんでした。

なのに、今、私の手足はぎごちなく軋《きし》んで、ものいう声はなぜか調節がつかないで必要以上の大声になるのです。

私は夢中でトンカツを作ります。

「手伝います」

といってカレがそばへ来ると、

「いいのよ、いいのよ」

といいながら、わけもなくけたたましく笑っているみっともなさ。

ようやくトンカツを揚げて皿に入れると、キャベツの繊切りを忘れたことに気がついて、

「あっ、ごめんなさい！」

叫ぶなり大慌てでキャベツを刻み、人さし指の先を切ってしまうのでした。

カレは待ちかねたようにカウンターに椅子《いす》を引き寄せて食べ始めました。

「いかが？」

「うん……」

大きく肯《うなず》いて、

「うまい……」

一言いってニッコリします。とろけるような笑顔です。色白のせいか、唇が子供のように赤いのが、いかにも汚れを知らぬ童貞という風情を深めています。

私は思い出して膝掛を風呂敷包みから出しました。

「これで膝を包んで、よく勉強をして下さい」

といって渡しました。

「あ、ありがとう」

ナイフを置き、受け取って膝に掛けるのがとても素直ないい感じです。

「気に入りました？」

「とても！」

改めて膝掛を眺めて、カレはいいました。

「あの人は何でも出来る人なんだなあ……」

「え？」

「こんなに早くこんなに大きいのが編み上るなんて、スゴイなあ……」

「………」

——それは静さんが編んだんじゃないのよ、私が編んだのよ、一日も早くと思って、徹夜して編んだのよ……そういいたい衝動に一瞬駆られながら私はいいませんでした。そんなことをいうのはおとなげない――そういう思いよりも、私が編んだのよ、といいたくなった自分の気持に、ふとこだわりを覚えたからでした。

2

卓造氏がただの風邪から急性肺炎を惹《ひ》き起したと聞いたのは、あの日から三日目のことでした。あの日というのは私が静さんの代理で、カレの部屋へ行った日のことです。

家へ帰って来て、すぐに静さんに報告の電話をかけたところ、今、松前先生が往診にみえているところだということで、ではまた後で、と慌てて電話を切ったのでした。

翌朝、お見舞いかたがた報告に行ってみますと、正子さんが出て来て、静さんは昨夜《ゆうべ》、徹夜で看病をしたのでまだ眠っている、といいました。

「肺炎を惹き起す心配があるから安静にして、お小水もシビンで取って下さいって、くれぐれも先生からいわれてるんですのよ。なのにおじいちゃんたら、シビンじゃいやだって、無理にトイレに立つんですのよ……ふだんはおとなしい方なのに、こういうことになると、やっぱり頑固なんですのねえ……」

そのため静さんは、卓造氏がトイレに立つのを止めるために、おちおち眠れなかったとか。

「たいへんですわねえ……くれぐれもお大事に」

その時はそういって家へ帰って来たのでしたが、その翌々日、卓造氏がとうとう肺炎を起してしまったことを、早朝の静さんからの電話で知ったのでした。

「ごめんなさい、こんなに早く……なかなかお電話するチャンスがなくて……で、どうでした？」

見舞いをいおうとする私の言葉を押しのけるようにいいました。

「カレのマンション、すぐわかりました？」

「ええ、すぐ。とてもいいマンション」

といいかけるのを聞こうともせず、

「カレ、待ってたでしょう」

といいかぶせます。

「ええ」

「私でなくて、勝代さんだったからびっくりしたでしょう？」

「ええ、でも」

「何かいってたかしら？」

「何かって？」

「私が行かないで代理が行ったので……」

がっかりしたか、と訊《き》きたいのでしょう。それがわかったので私はわざと、

「べつに」

ととぼけ、

「今、電話がかかりました、どうぞ、っていっただけ」

といってやりました。

「で、カレ、トンカツ喜んでました？」

「えええええ、それはもう……生れてからこんなおいしいトンカツ食べたことがなかったって」

静さんは私の労をねぎらうかと思えば、

「特上の黒ブタのロースですものね」

と肉のせいにするのです。

「でキャベツ、切って下さった？」

「ええ、お皿に山盛り」

すみませんでした、ともいわず、

「で、膝掛は？」

たたみかけるようにいいます。

「ええ、膝掛もとっても喜んで」

「勉強のとき、脚を包むようにいって下さった？」

「勿論《もちろん》よ。『こんなに早くこんなに大きいのが編み上るなんて、スゴイなあ』って感心してましたよ」

ホ、ホホ、と私は笑いました。その笑い声の中に、（カレの誤解について）静さんに対してのアテコスリを籠《こ》めたつもりでした。静さんはカレに、膝掛は自分が編んだようにいったのにちがいないからです。

なのに静さんは私のアテコスリなど毛筋ほども感じず、満足そうに、

「ふ、ふ」

と咽喉の奥で笑っただけです。私は少し腹が立って、

「それよりご主人さま、たいへんですねえ。肺炎の心配があるんですって？」

トンカツとかキャベツとか、膝掛とか、いったいそれどころじゃないでしょう、という批判を籠めたつもりでしたが、静さんは一向に何も感じないで、

「それが、もう、なっちゃったのよ！」

いきなり今までと違う調子になって、吐き出すようにいい捨てました。

「えっ！　もうなっちゃった？　肺炎にですか？」

「安静にしてなければいけないって、いくらいっても聞かないんですからね！　この寒いのに、夜中に二度も三度もトイレに立つんですよ！　だいたいね、年をとってると、出るものだって若い時みたいに勢《いきおい》よく出ないのね、チョロ、チョロと壊れた水道みたいにだけなの、時間がかかるんですよ。それでも本当に出る時はまだいいのよ。出ないのに出たい気がするだけの場合も多いのよ。なのによたよた起きて行くんです。出たい気持がするだけなんだから、っていくらいっても聞かないの、それでもって、とうとう、肺炎になっちゃったんですよ。こうなることはわかってたのよ。わかってるから皆して止めたのに、聞かないで肺炎になっちゃった……自業自得ですよ！」

一瀉千里《いっしゃせんり》にしゃべると、急に気落ちしたように、

「あーあ、勝代さん、あなたはいいわねえ……もうもう亭主なんて、早く片づいて」

とまでいって急に言葉が切れ、

「はーい、今、行きますよう」

そう叫んでから、

「またおしっこですって。まったくいやんなっちまうわ……じゃ」

電話は一方的に切れたのでした。

卓造氏の病気は思ったよりも長引きました。それで私は静さんに頼まれて、代りにカレに電話をすることになりました。電話の用向きは静さんのご主人の病気が重くて手が放せないので、電話をかけられないけれども、一所懸命勉強して下さいね、というようなことでした。

「わかりました。それだけでいいんですね？　ただそういえば……」

私が念を押すと、静さんはちょっとの間考えるように黙っていてから、

「あのね、じゃあこういって下さる？　毎日、ハヤトくんのこと、想ってますって」

なに？　想ってる？　よくもまあ、いい年して、そんなことを……と私はムカつきましたが、

「はい、わかりました、ハヤトくんのこと、毎日、想ってます、っていえばよろしいのね？」

そういうとテレ隠しか、静さんはクックック、ク、ク、と笑って、

「そうよ、そしてねエ、アイしてます……そういってちょうだいな、ホ、ホ、ホ」

けたたましく笑ったのは、冗談めかしながら真情を私に伝えさせようとの魂胆なのです。

「まあ、ほんとうにそういうんですか？　ほんとうに？」

私は大袈裟《おおげさ》にびっくりしたように反問しましたが、静さんはわざとらしい笑い声をけたたましく立てて、

「そうよ、いけない？　いいでしょう？　だってお互いに気晴らしが必要なんですもの」

わざとはすっぱにいうのでした。

夜になるのを待って私はカレに電話をかけました。ひとのことなのに、なぜか胸がときめいて、

「もしもし、ハヤトさん？」

という自分の声が、なんだか別の人の声のように思えるのでした。

「わたくし、松本です。この間……」

といいかけるなり、カレの甘い声が、

「あ、先日はありがとうございました」

良家の息子らしく礼儀正しく挨拶を返すのを聞くと、我にもあらず顔に血が上って、

「お元気？　寒いからどうしていらっしゃるかと思って……その後……勉強していらっしゃる？」

余計なことをいってしまいました。

「勉強？　いえ、してません」

ハヤトはあっさり答えます。

「してません？　まあ、いけないわ……もうすぐ大事なテストなんでしょう」

「もう始まってます」

「あらもう始まってるの？　じゃあ、勉強のお邪魔しちゃいけないわね」

「いいんです。どうせ何もしないんだから」

「どうして？　どうしてそんなヤケを起したようなことをいうの」

「ヤケじゃないですよ。無駄なことはしないことにしたんです」

「無駄？　どして？」

「だってぼく、アタマ、悪いんです」

笑いもせずにいうのです。

「アタマの悪い奴が勉強したって、無駄なんですよ」

「そんな、ハヤトさん……」

「ホントは大学なんか、入らない方がよかったんですよ。大学なんか行きたくなかったんです」

「じゃお父さんがムリに？」

「いや、そういうわけでもないんです。ほかにすることがないから、とでもいうかなあ。大学へ行かないで、じゃあ何をするんだ、と親爺《おやじ》に訊かれて気がついたんです。したいことも、出来ることも何もない……」

こういうのを偽悪というんでしょうか、それとも正直というんでしょうか、何と答えればいいのかわからず、とまどいましたが、気をとり直して、

「ハヤトさんの好きなことはなあに？」

と訊《たず》ねました。

「好きなこと？……さあ、何かなあ……」

「スポーツは？」

「いやあ、スポーツはやるのも見るのも、あんまり好きじゃないスね。野球にしろラグビーにしろ、水泳にしろ、なんであんなことに必死になっているのか、わかんないス。ぼくは」

「そうなの、じゃあマージャンは？」

「あれは不健康でいやですね。やり始めると一晩中でもやってるでしょう。タバコの煙が濛々《もうもう》としてる中で、脂《あぶら》ぎった顔になって、目をショボつかせてポンだの

チイだの……バカバカしいですよ」

「静かにひとりでいるのが好きなのね？　本を読むとか、テレビ見るとか」

「本なんか読んだことないですね。テレビもくだらなくて……ウソつきが集って得意になってしゃべくってるような気がするんです」

「困ったわねえ。じゃ趣味って何もないの？」

「音楽聴いてもどうってことないし、ディスコへ行くぐらいならうちで寝てる方がマシだし、新聞だって殆ど見出しを見るだけで……」

「じゃあ、何してるの？　毎日」

　ハヤトはいいました。

「だから学校へ行くんです……」

　何もすることがないから学校へ行く！　佐川米店のおじいさんは何もすることがないので、雑司《ぞうし》が谷《や》の墓地までアベックの「ノゾキ」をしに行く、という話を聞いたことを思い出しながら私は、

「だから、毎日、悪戯《いたずら》電話をかけてたのね」

ついいってしまいました。ハヤトは気を悪くしたふうもなく、

「そうなんです」

　メランコリックな甘い声で答えるのです。

「でもハヤトさん、あなたほどのハンサムだったら、女の子がほうっておかないでしょう？　ガールフレンド、いっぱいいるんでしょう？」

私は静さんから頼まれた話題から、だんだん外れて行きました。

「それは一人、二人はいるけど、ぼく、若い女はニガテなんです」

「ニガテ？　どうして」

「なんだか、騒々しくてうるさい……厚かましいというのかなあ、自信たっぷりというのかなあ……あんまり生き生きしてるのって、ぼく、疲れてダメなんです
……」

「それで静さんと……仲よしになったのね？」

「ええ」

私は思い切って訊きました。

「静さんのこと、好き？」

「そうですねえ……」

ハヤトは少し考えてからいいました。

「ええ……好きです」

「どんなところが好き？」

「第一に静かだし……優しいし……親切だし……」

「それから？」

「想像してたよりもずっとキレイな人だったし……」

突然、私は大きな手で鼻と口を塞《ふさ》がれたような息苦しさを覚え、反射的に、

「そう、あの方は……おきれいですものね」

といっていました。そうして私はそのまま、静さんに頼まれた伝言をいわずに、電話を切ったのでした。

「松本勝代さま、

お隣同士でいながら、こうしてお手紙を書くなんて、なんてヘンなことをしているのだろうと思いながら、ペンを走らせています。

今は午前三時、家中の者は寝鎮り、主人もよく眠っています。こっそり階下《した》へ行ってカレに電話をかけたいのですが、主人ときたら、熟睡しているように見えていても、ふと目を醒《さ》ますのです。そしてふと目を醒ますと、おしっこ、です。この間も、そーっと階下へ降りてダイヤルを廻《まわ》していたら、ドタンバタンと大きな音がして、正子さんが寝室から飛び出して来て大声で私を呼ぶのですよ。何ごとかと思ったら、主人がトイレに立ち、丹前の裾《すそ》を踏んでひっくり返ったのです。お姑《かあ》さま、こんな時間に何をしていらっしゃいましたの、と仰々しく正子さん

がいうものですから、仕方なくお茶を飲みに降りたのだなどと、とっさの嘘《うそ》をつく有さま。それ以来、茶道具と電気ポットが部屋に持ち込まれています。

ハヤトくんは元気でしょうか？

この間お願いしたように、電話をかけて下さいました？

カレ、何ていいまして？

寂しがっていませんか？

テストはうまく行ってるのでしょうか？

いろんなことをお聞きしたいのですが、何もかも思うに委《まか》せません。主人の顔を見てると、もうムカムカ腹が立って来ます。

いったい、この男は何なのだ！

なんでここにいて、私を束縛しているのか。

なぜ私はこの男のために夜も眠らずに奉仕しなければならないのか。

いったいこの男が私に何をしてくれたのか？

『生甲斐《いきがい》』とか『幸福』とか、『愛』とかそんな言葉は、活字で読んだり、映画で聞くことはあっても、私自身が耳にしたり口にしたりしたことは、一度もなかったのです。ただのいっぺんも、私は『愛してるよ』と夫からいわれたことがありませんのよ！

『愛してるよ』の代りらしい言葉が、『おい、こっちへ来なさい』です。一度ぐらい自分の方から来てもよさそうなものなのに、いつだって、『来なさい』でした。そういわれると、私は一も二もなく枕を持って、夫の寝床の中へ入って行ったものですよ！　一度ぐらい拒絶してやればよかったと今になって思うけれども、その頃はそんなこと、考えられもしませんでした。だってそれは妻の『義務』だったんですものね！

そう、妻の『義務』だった！　だから、主人が一方的に満足して、私が取り残されることにも不平をいいませんでしたのよ！　こういうものだと思っていつも我慢しましたのよ！

私が口惜《くや》しいのは、夫がその我慢を当り前のことだと考えていることなのです。どんなに我慢に我慢を重ねた夫婦生活だったか、そのことに気づきもしないことなのです！

そうして年をとった今も、やはり、夫は私が奉仕をするのを当り前のように思っていて、夜中に何度も起きて薬をのませたり、トイレについて行ったりして、私が睡眠不足でフラフラになっていてもすまん、とも、世話かけるね、ともいいません。その上にですよ、このところあのじいさんときたら、五日も便秘して、そのために痔《じ》が起きてしまった、その痔の手当も私がしているのですよ!!

シビンでお小水を取られることをいやがっているのに、痔の手当はいやがらないとはどういうことなのでしょう！　一度そのわけをとっくり聞かせてもらいたいものだと思うのですが。

でも、それを聞く代りに、私は痔の手当のときにうんと痛くしてやるのです。腫《は》れ上って真赤にタマコロが出ているところを、手もとが狂ったふりして、ピンセットの先で突いてやるんですよ。『あイッ！』と叫んで、暫《しばら》くはものもいえない。

『ざまアみろ！』

と胸中に叫びつつ、

『あ、ごめんなさい、痛かったですか？』

というときの痛快さ。いっそ、マスタードでも塗りつけてやったら、どんなにセイセイするかと、そんなことまで考えている今日この頃です。

こんな私にとって、ただひとつの慰めは何か。

勝代さん、おわかりでしょう？

さかれた恋はいっそう燃えるといいますわね。今、私、そんな気持なのです。これが恋かどうか、まだはっきりわからないけれど、でもカレを想うことが、暗黒の日々の中での唯一《ただ》つの遠い灯《ひ》であることは確かなのです」

3

私は静さんの手紙を何度も読み返しました。そしてその日一日、ぼーっとして過しました。

なにも他人が恋をしているからといって、私がぼーっとなることはないようなものですが、二十一の時に平凡に見合をしてひと月後に結婚し、二人の子を産み育て、五十四歳で夫に死に別れて今日まで、何の波瀾《はらん》もなく、心ときめくこともついぞ経験したことなく平々凡々の日を送って来た私には、たとえひとごとでも、その吐息の熱さが伝わってくるような手紙に接すると、なんだかその熱病が伝染《うつ》ったようでぼーっとしてしまうのです。

ぼーっとしながら、「そんなものなのかしらねえ……」と思ったり、「そんなキモチになれるなんてステキねえ」と思ったり、かと思うと突然、「なんてことなの！　年も考えずに！」と穢《けが》らわしく思えたり、「でもゲーテは八十で恋をしたわ」と思い直したり、羨ましくなったり、シャクにさわったり、ああ思いこう思いして一日を過したのでした。

その翌日のことです。私が休もうとして戸閉りをしていますと、電話が鳴りま

した。反射的に時計を見ると十一時少し前です。これはきっと静さんに違いないと思って受話器を取りますと、

「もしもし」

といった声は、思いもかけぬ若い男の——そうハヤトさんの声なのでした。

「あら、まあ、ハヤトさん……でしょ？」

思わずいいますと、

「わかりましたか？」

と若い声は少し弾んで、

「急にお話をしたくなって電話番号を調べたんです。お邪魔でしょうか？」

良家の子弟らしく礼儀正しくいうのです。私は、

「あらまあ、あらまあ」

というばかり。こういう場合は何といって挨拶をすればいいのか、ただヘドモドして、

「その後お元気ですか？」

つい二日前に電話で話をしたばかりなのにそんなつまらないことをいってしまいました。するとハヤトさんは、

「元気というのは、肉体的に故障がないということですか？　それなら元気です

けど、気力が充実しているというイミだったら元気じゃないです」

というのです。そんなややこしいことをいわれても、何といえばいいのか、私にはわかりません。仕方なく、

「オホホホホ」

と笑ってごま化し、思いついて、

「いかがですか、試験は？」

と聞きました。

「試験？　そんなもの、ダメにきまってますよ……」

ハヤトさんはそんなこと気にもかけてないよという口調でいい、

「そんなことより、ぼく、寂しいんですよう」

歎《なげ》くような、甘えるような声を出しました。

「寂しい？　ああ、わかったわ。島本さんに電話がかけられなくなったからなんでしょう？」

ハヤトさんの甘えるような調子に私も漸《よう》やくリラックスしていいました。

「それで、私は島本さんの代理ってわけね？」

「そうじゃないですよ。今夜は奥さんと話がしたかったんですよ」

「今夜は、なのね。日によって違うのね？　電話をかけたい相手が……」

「そうですね、その日の気分ですね。落ちこんでる時とか、はしゃぎたい時とかで、それはやっぱりちがいますよ」

「そうなの、じゃあ、今夜は落ちこんでる日？」

「試験ですからね、落ちこむのは当然でしょ。留年になったら親爺に何といおうか、とか……学校をやめろっていわれたらどうしようか、とか……」

「そんなこと考えている暇に勉強すればいいんですよ」

「その通りですよ。ぼくもそう思います」

「ならそうなさい、こんな無駄なおしゃべりしていないで」

「ええ、そうします……」

急に素直になって、

「じゃあ、さようなら」

と電話が切れてしまったので私は、上りかけていた梯子《はしご》が急に取り外されてしまったような呆気《あっけ》にとられた気持で、ポカーンと受話器を下ろしたのでした。

――カレはなぜ、わざわざ、番号まで調べて私にかけて来たのかしら？……

私はそのことを思いながら寝床に入りました。

――私は島本さんの代理ってわけね？

――そうじゃないですよ。今夜は奥さんと話がしたかったんですよ……。

その会話のまわりを、何度も廻りながら、私は眠りに入って行ったのでした。

翌朝、私はとても爽《さわ》やかな気持で目を覚ましました。日暮れの一筋道を一人トボトボ歩いて行くような、あーあ、また朝が来た、また一日が始まるんだわ、と吐息をつくような思いでつづいて来た単調な生活の中に、パーッと一筋の光が射し込んだような気分の朝でした。

いったい何が？ と自分に問う間もなく、あの電話のことが蘇《よみがえ》って来ました。

――そうじゃないですよ。今夜は奥さんと話がしたかったんです……。

反射的に静さんのことを思いました。このことを静さんにいった方がいいのか、黙っていた方がいいのか。べつに秘密にしておかなければならないような理由はないようなものの、それを静さんが知ったら、なんだか留守中に空巣に入られたような気がするにちがいありません。

といって、何もいわずに黙っていて、もしカレの口からそれが静さんに伝わった時、私が黙っていたことを、静さんはヘンに勘ぐるかもしれません。

いった方がいいか、いわない方がいいか、あれやこれやと思い廻《めぐ》らし、

「さて、困ったわ」

などと呟《つぶや》いてみるのも、私にはまた心楽しいことなのでした。

朝食をすませると、掃除もそこそこに私は島本家の様子を窺《うかが》いに二階へ上りました。窓から隣を眺めます。

午前九時。

子供さんたちは学校へ、秀一さんは銀行へ出かけた後の隣の階下はひっそりしています。洗濯でもしているのでしょうか、正子さんの姿も見えません。二階の東の外れの窓。そこは静さんと卓造さんの部屋ですが、そこにはまだ厚いカーテンが垂れたままです。看病疲れか、静さんはまだ休んでいるらしいと思いながら、見ていますと、突然、その厚手のカーテンが真中から割れて右側だけがさーっと開きました。そして静さんの寝起きの顔が眩しそうに空を仰ぎ、大アクビをしながら、ボリボリと首筋を掻《か》いています。その姿にはいかにも長い年月主婦の座にお尻を据えて年老いて来た女の安心が滲《にじ》み出ていて、その同じ人が今、恋の愛のと悩んでいることが夢のように思えるのでした。

しかし静さんにとってその恋は夢なんぞではない、まさしく一大現実で、その現実を前にした静さんには、過去の四十年の結婚生活の方がむしろ夢のように思えたかもしれません。

「私にとって、結婚とは何だったか、って、昨夜、つくづく考えましたのよ」

午後になって訪ねて行った私に静さんはそういいました。丁度、正子さんは卓造氏のお薬を貰いに松前医院へ行ったとかで、静さんはこの隙《すき》に、とばかりにひとりでいっきにしゃべり立てるのでした。

「四十年も連れ添って、三人の子供を産み、力を合せて育てて来た……、なのに今、私たちの間にあるものといったら、夫婦という形だけ……家とか息子とか孫とかいくらかの貯蓄とか……そんなものがあるだけで、精神的なものといったら何も生れなかったのよ。ほんとうよ、何もなかったんです。ねえ、怖《おそ》ろしいことだと思わない？　私にあるのはむざむざと人生を浪費させられた恨みです……」

静さんはそういうと、私の顔に顔を寄せ、突然、

「私、昨夜、夢を見たの」

と囁《ささや》きました。

「どんな夢を？」

「あのねえ……笑っちゃいやよ、キスした夢なの、カレと……」

「まあ……」

私は思わず聞きました。

「キスだけ？」

「そうよぅ！　キスだけ……」

いかにも残念そうにそういうと、静さんは怨《えん》ずるように私をじっと見つめまし

なのでした。

たが、その目は私の顔を貫いて、その向うにいるハヤトさんを凝視しているよう

「そして目が覚めたら、顔のまん前に、主人のシナビた顔がこっち向いていて、大きな口をガバーッと開けて、グワーッグワーッって、地響《じひびき》みたいなイビキをかいてるじゃありませんか。私、もう、もう……」

眉《まゆ》を寄せて首をふる静さんの顔は、今朝、大アクビをしながら窓から顔を突出していた時とはまるでちがい、薄化粧にオレンジ色の口紅をつけ、エンジのカーディガンを着たはなやいだ姿です。

「情けないやら口惜しいやら……」

絶句して目をつぶり、積年の恨みを呑《の》み下した、という表情を作ってから、ふいに目を開くと、

「お願い、ちょっと、私の代りに卓造のそばについていてやって下さらない――」

と胸の前で両手をあわせます。

「二十分、いえ、十分でいいわ。あなたのお宅へ行って電話をかけたいの」

「カレにおかけになるのね」

「そうなの、だって、心配なんですもの、もう試験が始まってるでしょう。どん

な様子か、励ましてあげたいのよ。ね、十分だけ、お願い……」

年も忘れてなりふりかまわず、という格好です。そんなことより、卓造さんの容態はどうなっているのでしょう。それを聞くと静さんは面倒くさそうに、

「大分いいんですのよ。なのに、いつまでも重病人面《づら》して、何のかの、用をいいつけるんです。じゃあ、ちょっと……」

と私の返事を待たずに勝手口を走り出て行ってしまいました。

仕方なく私はお見舞いにと思って持って来た到来物の苺《いちご》を小皿に入れて二階へ上って行きました。階段を上ったところから東に向ってドアが三つ並んでいます。卓造氏の寝ている部屋はその東の外れであることは、毎日、うちの二階の窓から見ているのでわかっています。私は苺の皿を乗せたお盆を片手に、軽くノックしていいました。

「ごめん下さいませ。お隣の松本でございます、お見舞いに上りました……」

するとと中から、

「どうぞ」

という嗄《しわが》れた声が返って来て、そーっと開けた私の目と、二つ並んだベッドの向う側に上半身を起してふり返った卓造氏の目とがぱったり合いました。

「あら、お起きになったりして、よろしいんですか」

私はそういいながら部屋に入り、改めて病気見舞いを述べて苺をさし出しました。

「今、下で奥さまとお目にかかってまいりましたけど、何ですか急な用でちょっとそこまでお出かけにならなきゃならないところだったものですから、……その間私が、代りにご用をと思いまして」

「ああ、それはどうも」

卓造氏は昔の校長先生らしく無表情に肯きます。名校長時代の威厳の名残りというか、学究肌の愛想のなさというか、ニコリともせずに、

「ご親切に、ありがとうございます」

と礼だけは丁重にいうと、掛布団の下から老眼鏡を取り出し、ノートを出し、それから更に綴《と》じ込みのようなものを出して来ました。

「いや、どうも。足音がしたので妻かと思いましてね」

静さんに見つかると叱《しか》られるので、慌てて隠したらしいのです。

「そんなこと、なさってもよろしいんですの？」

私がいうのに答えもせず、

「奥さん、キリストについてどの程度の知識を持っておられますかな」

いきなり私はそう訊ねられました。

「キリストって、あの、キリストですの？」

いきなりのことなので私はつい妙な返事をしてしまいました。しかし卓造氏はニコリともせず、

「キリストが捕えられてゴルゴタの丘で十字架にかかった時、キリストは天に向って叫びました。『エロイ・エロイ・ラマ・サバクタニ』とね、わかりますか？それを訳すとこういうことです。『神よ、神よ、なぜに我を見捨て給うや』……」

卓造氏は病人とは思えない大きな声を出しました。

「キリストほどの偉大な人物が、なぜ最期の時に、こんな弱音を神に向って吐いたのか、それを不思議に思いませんか、奥さん……」

「はあ……」

私は卓造氏の気迫に気圧《けお》されて、

「思います」

と答えてしまいました。すると卓造氏はみるみる顔を輝かせ、

「思いますか？　思いますか？　奥さんは話せる！」

と叫ぶと、

「うちの妻のようなバカ者は、それを不思議とも何とも思わんというんです。キ

リストだって、ただの人間だったたってことよ、と、そういってすましているんです。人類の進歩は既成の概念に対して疑問を持つ——そこから始まるものではありませんか。懐疑こそ真実に迫る第一歩です……」

卓造氏の顔に赧味《あかみ》が射して来たのは、熱が上って来たためではないかと、私はハラハラするのでした。

「ところがここに実に驚くべき事実を見つけた人がいるんです。その人によるとですな、奥さん、びっくりしてはいけませんよ。十字架にかかったのはキリストではなかった……キリストそっくりの弟であった……」

卓造氏は大声で叫ぶようにいいました。

「弟がキリストの身代りになったのです。そこで凡夫である彼は、叫ばずにはいられなかったのです。エロイ・エロイ・ラマ・サバクタニとね！　神よ、なぜ我を見捨て給うや、とね！」

「はあ……」

卓造氏は私のその返事を頼りないと感じたのか、念を押すように、

「奥さん、信じますか、この話を」

「はあ……」

何をいわれても私は我ながら芸のない返事をするばかりなのでした。

静さんがいつか話していた、「アホらしい研究」とはこのことだったのです。そう気がついて窓際の机の上を見ますと、ぶ厚い本や古文書《こもんじょ》や巻物《まきもの》やノートが山と積まれています。

「まあ、たいへんなご勉強ですのね」

私はそういって、そうそうに部屋を出ようと立ち上りますと、

「奥さん、まあ坐って聞いて下さい。更にこういう解釈もあるのです、さあ、坐って……」

と無理やり坐らされてしまいました。

「更に聖書にはこうあります。過越《すぎこし》の祭の翌日です。キリストは裏切者のユダのために捕えられましたが、その時、一人の女がペテロに向っていいました。『お前もあの男の仲間だろう』ってね。ペテロはそれを打ち消して逃げます。そして又、別の女に同じことをいわれ、『自分はあの男を知らない』と又いいます。ペテロは三度、『あの男を知らない』といい張るのですね」

「はア……」

「そのことでペテロは今に到るも裏切者、嘘つきだといわれて来ました。しかしペテロは嘘つきではなかった。なぜなら、捕えられた男はキリストじゃなかったからですよ」

「はア」

仕方なく私はいいました。

「弟だったんですね」

「そうです！　その通り！」

卓造氏は両手を打ち合せ、

「その通り弟だったんです！　男はキリストじゃなかった！　だからこそペテロはいったんですよ。『自分はあの男を知らない』とね！」

「はア……」

「どうです、面白いでしょう？　なかなかの卓見だと思いませんか？」

「はア、思います……」

「そういう見地から聖書を読み返して行きますと、そこここに新発見あり、汲《く》めども尽きぬ興味が湧《わ》いて来るんです……」

「はア」

「ところがここに、キリストが日本に来ていたという古文書があることがわかりましてね。その古文書をひとつ奥さんに」

といいかけて、卓造氏は大慌てで手もとのノートや綴じ込みや老眼鏡を掛布団の下に押し込み、

「奥さん、またいらして下さい、是非、このつづきをお話ししたい……いいですね？」

低い声でいうなり、布団の中にもぐってしまいました。

4

静さんが戻って来てくれたおかげで、私は卓造氏のキリストが日本へ来ていたという古文書を読まされないですみました。

静さんの足音にす早く資料を隠して布団にもぐった卓造氏は、

「ごめんなさい、お世話かけて」

「いいえ、どういたしまして」

「何か無理なこと、いいませんでした？　トイレに立ちたがるとか」

「いいえ、静かに休んでいらっしゃいましたわ」

という私と静さんの会話をどんな気持で聞いたのでしょうか。

「では失礼しますわ、お大事に」

とベッドに近づいて挨拶をした私に、掛布団の蔭《かげ》から目を覗かせて、

「どうも、ありがとうございました」

低くそういった声音に、今までになかった親しみが籠められているのを私はぼんやりと感じたのでした。

その翌日、私はまた静さんから卓造氏の看病を頼まれました。

「だってねえ、主人たらこういうんですもの。お前がそばにいると治る病気も治らん。松本さんのように静かに黙って坐っていてくれると気持が休まるんだ、って、そんなことをいうんですもの……そりゃあ、他人《ひと》さまは優しいですよね。身内だからこそ、厳しいことをいうんです。早く治ってもらいたいと思うから、うるさいこともいいたくなるんですわ。女房でなければ、誰があんなジイさんの汚いお尻を開いて、痔の手当なんかしますか！　痛い痛いって、トイレに立つたびに大騒ぎするから、だから、食物のことも気をつけて、通じをやわらかくするようなものを、と考えるんですよ。肛門が腫れ上って泣くほど痛んでもかまわない、と思っていれば、好きなもの、どんどん食べさせますわよ。ね？　そういうもんじゃありませんか？」

「そうですね。妻なればこそその厳しさですわ」

「そうでしょう？　勝代さんもそうお思いになるでしょう？　なら主人にそういってやって下さいな……」

静さんは激昂《げっこう》して白粉《おしろい》がまだらについている額に青筋を立て、しかし、卓造氏にはそれがわからないで、静さんがそばにいるとよくなるものも悪くなるというのだから、それなら勝代さんに看病してもらえばいいわ、と捨台詞《すてぜりふ》を残して出て来たというのでした。

「ですから、ね？　いいでしょう」

静さんは急に媚《こ》びた口調になって、私の目をじっと見つめ、

「チャンスなのよ、願ってもないチャンスなの、これで堂々と出て行く口実が出来たんですもの、利用しないってテはないでしょう？」

濃く口紅を塗った唇を、ニンマリと歪《ゆが》めたのでした。

静さんの代りに半日ぐらい病人のそばについていることぐらい、どうせ何の用事もない私ですからおやすいご用なのですが、ただ例のキリストの話を熱中して聞かされるのが気が重いのです。けれども一人暮しで交際の幅の狭い私には、咄《とっ》嗟《さ》の口実も思い浮かばず、ぐずぐずと引き受けさせられてしまいました。

では二時に来てほしいといわれた通りに、その時間に島本家へ行きました。

「ごめん下さい」

と勝手口を入っていきますと、丁度学校から帰って来た小学生の勝ちゃんが冷蔵庫を開けて首を突っこんでいるところでした。

「あら勝ちゃん、こんにちは。ママは？」

「ママはクッキングスクールへ行った」

「そう、おばあちゃまは？」

「今、風呂に入ってる」

「お風呂に！」

私は思わず頓狂《とんきょう》な声を上げてしまいました。

——それほどまでに！　まあ！

と心の中で叫びました。静さんのハヤトさんへの想いは、そこまで行っていたのか。お風呂に入って血行をよくすると、ハリを失って萎《しな》びていた肌もいくらか潤って来て、化粧のノリもよくなります。いつだったか卓造氏の看病で徹夜したという翌朝の化粧をした静さんの顔は、乾柿《ほしがき》のように粉を吹いていました。静さんはそれに気がついたのでしょう。

六十になってから男を好きになるってことは、ほんとうにたいへんです。体力と同時に気力も必要です。疲労や心労がすぐ顔や身体《からだ》つきに出てしまいますから、疲れないように気を配らなければならないでしょうし、といっても若い頃と違ってちょっとしたことですぐ疲れてしまいますから、その疲れを隠さなければなりません。しかし隠しように細心の注意を払っていないと、隠そうとしたために、却《かえ》ってあらわになっているという結果を産むことだってあるのです。

そんなことを考えると、ほんとうに静さんはたいへんなことを始めたのねえ、とひとごとながら肩が凝ってくるようです。

けれどもそんな私の思いは静さんはまるで感じていないようでした。「ごめんなさい、無理をいって」と私の前に立った静さんは、春らしい薄紫のツーピースに黒いエナメルのハンドバッグ。この恋のために買ったのでしょうか、服もハンドバッグも新品です。

「まあ、すてき！」

思わず私は叫び声を上げてしまいました。こうしてみると、やっぱり静さんは美人です。湯上りの火照りに馴染んだ化粧が、静さんの派手な顔立を引き立てています。私たちの年代にしては大柄で厚手な身体つきは、女学校時代にバレーボールの選手だったというだけあってまだまだ引き緊《しま》っています。

「すてきですわ！　静さん……」

心から感嘆してもう一度いってしまいました。

――私と同い年でもやっぱり静さんは違うわ。私より何もかもが若いのだわ……だからこの年になって恋が出来るんだわ……。

そう思うとやはり羨ましくなってしまうのでした。

静さんを送り出してから私が卓造氏の部屋へ行きますと、卓造氏はベッドから下りて丹前も着ずに部屋を出ようとしているところでした。

「あら、ご主人さま、どうなさいました……」

私のいう声に、

「あ、いや……」

といっただけで卓造氏はそのまま強引に廊下へ出るのです。

「おはばかりですか、ご主人さま」

「あ」

まるで逃げるようによろよろと歩きます。

私は慌てて部屋の中から丹前を持って来てトイレの前で追いついた卓造氏の肩に掛けました。

「いけませんわ……そんな……」

「ご無理をなさってはいけませんわ。おっしゃって下されば、シビンのお世話ぐらいしますのに」

卓造氏は返事もせずトイレに入ります。まさかそこまでは私も入りかねて外に立っています。中はシーンと静かです。こっそり戸を開けて覗きますと、袖《そで》を通さぬ丹前を肩に引っかけた猫背の後ろ姿が、便器の前に影法師のように立って暫

くじーっとしていたかと思うと、

チロチロ……

可愛《かわい》らしいといってもいいほどの放尿の音が微《かす》かに聞えます。

これこそ、盛りを過ぎた者の、人生の終りを象徴する音だといえば、大袈裟すぎるでしょうか。何ともいえず寂しい音でした。

チロチロ

と切れて

チロ

と出、暫くしてもう一度チロと小さく滴《しずく》が落ちる。まだ残りが出るのではないかと待っているらしい静けさの後、ついにもうおしまいらしいと諦《あきら》めて身支度をする気配がして、卓造氏が出て来ました。立っている私を見て、「あ」と驚いた様子でしたが、そのまま手も洗わずに部屋に戻るとベッドに腰を下ろして大きく肩で息をしています。私が手拭《てぬぐ》いを絞って来て渡しますと、黙って手を拭《ふ》いた後、

「奥さんのご主人は……お倖《しあわ》せだったでしょうなあ」

思いがけないことをいわれました。

「はあ？」

と私は驚き、

「そんな……」

と笑いました。いきなり死んだ夫のことなどいい出されて、私は何といえばいいのかわかりません。

「横におなりになった方がよろしいのじゃございませんか」

テレ隠しにそういい、卓造氏を寝かせようとそばに寄りますと、思ったよりも素直にベッドに入って、独り言のようにいうのでした。

「夫婦ってものは何なんだろう……今頃、そんなことを考えています……」

私は途方に暮れて黙っていました。私にわかるのは、静さん夫婦は静さんだけでなく、卓造氏の方にも不満が募っていたということぐらいです。そしてお互いに、自分には不満があるが、相手にはそれがないと思っているらしいことです。

「女なんてものは、年をとると、どれも同じ、ヒゲが生えてくるものだと思っていましたが……違いました。奥さんのような人もいたんですねえ……」

「そんな……いいえ……私もヒゲが生えていますわ、オホホホ」

我ながら不器用に甲高くけたたましい笑い声を立ててから、私は、

「何か召し上ります？　お茶をおいれしましょうか。おリンゴでも剝《む》きましょうか」

と慌てていいました。

「いや、今日は何だか調子悪くて……。朝から家内と喧嘩したものですからね」

「じゃあ、少しお眠りになった方がよろしいですわ」

何はともあれ今日はキリストの話を聞かなくてもすみそうだと思うと私はほっとして、

「じゃあ私は階下《した》にいますから」

立ち上ろうとして、

「いや、ここにいて下さい」

と引き止められました。

「なにかお話をして下さい、奥さん」

「お話って……どんなお話ですの？」

「何でもいいんです。そうだ、奥さんの夫婦論を聞かせて下さい……」

「いきなりそんなにおっしゃられても……」

と私は困ってしまいました。私は戦争の末期に、たった一度見合したただけの男とひと月後に結婚し、結婚三か月後に夫は戦場へ行ってそのまま敗戦で捕虜となり、抑留二年、帰って来てから親戚の商売を手伝っているうちに、かつての戦友に呼ばれて入った化粧品会社が思いもかけぬ大資本に成長して、どうにかこの家も買うことが出来たのですが、六年前、部長に昇進して間もなく心臓の病で亡くなりました。

考えてみれば、あっという間に過ぎ去った結婚生活だったような気がします。夫はただもう忙しく、働きづめに働いて死んでしまったのです。夫婦らしい会話や楽しみなど何もありませんでした。夫婦喧嘩をしたことがないのは、それほど仲がよかったというわけではなく、する暇がなかったからです。

ですから夫の思い出といっても、考え込まなければすぐには出て来ないくらいなのです。そんな私に、どうして夫婦論なんていえるでしょうか。

私は卓造氏にそのようなことを、ぽつりぽつりと話しました。

「死ぬ前、主人は私を見て、『すまん』といいましたの、心に残っていることといったら、そのことぐらいですわ」

「『すまん』ですか！　『すまん』――」

卓造氏は枕に置いた顔を天井に向けて、その言葉を吟味するように目をつむりました。

「いいですなあ……『すまん』……ああいい言葉だ。羨ましい……」

それから目を開いて卓造氏はじっと私を見ました。

「今わの際《きわ》に、妻に向ってすまん、といえる夫は日本一の倖せな人ですよ……」

翌朝、静さんから甘納豆の箱詰と手紙が届きました。それを持って来たのはランドセルを背負った勝ちゃんです。

「おばあちゃんがこれをって……」

そう叫んでどさりと台所の上《あが》り框《がまち》に袋を置くなり、走って行きます。丁度洗濯をしていた私は、濡《ぬ》れた手を拭くのも忘れて、大急ぎで手紙を開きました。何といっても静さんとハヤトさんのことは、私の生活の中での一大関心事になっているのです。

「勝代さま、

今日はほんとうに有難うございました。

ご迷惑も考えずに、夢中で無理なお願いを押しつけてしまいました。ごめんなさい。いい年をして、と私のこと、笑っていらっしゃるのでしょう？

それはわかっているのですが、わかっていながら、どうにも止められない力に動かされてしまうのです。いったいこんな自分、どうなっているのだろう、と思います。自分で自分を顰蹙《ひんしゅく》しながら、白状するとその一方でそんな自分を嬉しく感じている面もあるのです。

だって、素晴しいことじゃありません？

六十になって、若い男を愛せるなんて……何の楽しいことも面白い思いもなかった人生ですもの。最後にひとつぐらい情熱に身を灼《や》くような思い出があってもいいんじゃありません？

そうでないと、あまりに空《むな》しい生涯です。

今日はハヤトといろんなお話をしました。ハヤトはヒーターの前の床に横になって、私はその頭のところに坐って、お話をしながらそっと髪を撫《な》でてあげましたの。ハヤトは目をつむって、まるで何もかも、自分の全部を私に預けてしまった、みたいに力を抜いてぐったりして、そして時々、ふーっと溜息《ためいき》をつくのです。

いったい、何のための溜息でしょうか。

『ハヤト、何を悩んでるの？』

私はそれを訊ねたいのだけれど、口に出すのが怖いような気がするのですわ。でも思い切っていいました。

『好きな女の人でも出来たの？　ハヤトちゃん』

って。そうしたら彼、びっくりしたように目を開けて『そんなもの……』といって、そうしてなんていったと思います。

『昨日から胸ヤケがして、胃袋が重いの』ですって。ホホホ。

私、笑ってしまいましたわ。なんて可愛いんでしょう。思わず抱きしめて頰ずりしたいようでした」

ここまで読んで、私はあまりのバカバカしさに手紙をほうり出しました。

――どうかしてるわ、静さんは……。

プリプリしてそういったのでしたが、気をとり直して……いえ、気をとり直してというのは少し違います。

やっぱり気になって、ほうり出した手紙を取りました。

「やっぱり気になって」といった方が近いでしょうか。

「そうしたら彼、『お願いがあるんだけど……』というものだから、『何でもきいてあげるわ、いってごらんなさい』っていってしまいましたのよ。そしたら、彼ったら……『オッパイを見せてくれませんか』だって……。

可愛いことというでしょう？　これがハヤト以外の男ならいやらしく聞えるところだけど、ハヤトがいうと、それは無邪気で可愛らしいの、きっとカレがまだ汚れてないからなのね。

『いいわ、見せてあげる』って、私、いったんです。彼は寝そべっていたのを起き上って、きちんと坐り直して待っているの。私はツーピースの上着を脱ぎ、ゆっくりゆっくりスリップの紐《ひも》を肩から外し、ブラジャーを取って行く。その間、ハヤトは息を詰めて、あの美しい目をじーっと私の胸に当てたまま。私はあらわになった乳房を両手で持ち上げて、『ほうら』といったのでした」

まあ、なんてことを……なんてことを……私は思わず声に出してしまいました。胸がドキドキしてきて、おなかのまわりが熱くなり、身体が慄《ふる》えてきました。

「でも勝代さん。誤解なさらないでね。そんなことをしたからといって、私たちはいやらしい振舞いに及んだわけじゃありませんのよ。ハヤトの目は慈母を慕う幼子《おさなご》のように私の乳房を見ているのですもの。

やがて『ありがとう』といいましたので私は、『もうよろしいの？』といってブラジャーをつけ、スリップの紐を肩にかけ、上着を着たのでした。

ハヤトって、ナマの女の乳房って見たことがなかったんですって。ナマの乳房っておかしいでしょう？　ハヤトの言葉です。ハヤトが生れて間もなくハヤトのお母さんは病気になってハヤトに授乳出来なかったのね。彼は人工栄養で育ったのです。哺乳瓶《ほにゅうびん》が彼のオッパイだったのよ。お母さんが亡くなった後は若い継母《まま》《はは》が来たのですから。

『すみませんでした。ムリいって』とハヤトは私に謝るの。可哀そうやら可愛いやら。

でもねえ、白状してしまいますわ。勝代さん。私ね、その時、実はハヤトが、さわらせて下さいっていうのを待っていたのよ。なのに彼は何もいいませんでした。

『さわってもいいわよ』という言葉が何度か口もとまで出て来たのですが、私にはいえなかったの……」

身体中に憤りが充満してきました。何という軽薄な。身のほど知らず。他人に夫の看病を押しつけて、若い男に乳房を見せて喜んでいる。しかも六十になって！　恥知らず！

ほんとうにしっかりしてちょうだいよ、と私は静さんの背中を叩《たた》きたくなりました。乳房を見てもハヤトさんがさわらせてくれといわなかったということは、どういうことなのか。

「慈母を慕う幼子のように乳房を見ていた」ですって！

静さんて、なんて楽天的な方！　ハヤトさんにさわりたい気持を起させない乳房だったってことじゃないんですか！

なにが「可哀そうやら可愛いやら」ですか！　ハヤトさんは愕然《がくぜん》として幻滅して、萎《な》えてしまったのです。きっと！

情熱の行方

1

この三月《みつき》ばかり、毎晩布団の足もとに入れていた電気アンカを、ある日ふと熱く感じて私は春が近くまで来ていることに気がつきました。

けれども小さな庭では白梅が咲いていますが、ボケの莟《つぼみ》はまだ固く、ざくろも柿《かき》も葉を落したまま寒そうです。春を呼ぶ雨が降り、一日やんでまた降りして漸《ようや》く天気が定まった時、久しぶりで私は卓造氏と静さんが朝の散歩に出かける姿を見かけました。

卓造氏は漸く病癒《やまいい》えて、お医者様に足馴《あしな》らしを許されたのです。

雨上りの朝空は瑞々《みずみず》しい水色に光り、その光は薄紙のように引き伸ばされた雲の裏側にも漲《みなぎ》っています。冷たい空気の中に春の匂《にお》いが流れています。

年のせいでしょうか、若い頃には気がつかなかったそんな微妙な春の訪れに、今は泣き出したいような感動を覚えるのです。

しかし卓造氏はまだすっかり冬支度で、冬の間見馴れたラクダ色のぶ厚いオーバーコートにハンチング、首に丁寧にカシミヤのマフラーを巻きつけて手袋をした手にステッキを突いています。やっぱり年をとってからの患いは応《こた》えるのでしょうか、足もとが覚束《おぼつか》なく、背中が弱々しく丸まっています。

それにひきかえ静さんの方は、どうでしょう！　以前よりも潑剌《はつらつ》として、朝からの濃化粧、冬の間着ていたお揃《そろ》いのオーバーコートを脱いで、モスグリーンの半コートにベージュのスラックス。ブラウン系に染めた髪は十も十五も若返って見えるのです。

恋の力って、ほんとうに偉大だわ、と私は思わずにはいられません。静さんの身体《からだ》の中にはきっと恋のためにアドレナリンとかが盛んに分泌され出したのです。若造りが静さんを若返らせているのではありません。蘇《よみがえ》った若さがきっと自然に若造りを呼んでいるのです。だから、それは今の静さんにとってもよく似合っています。実際に静さんの身体も心も、四十代になったのです。だから静さんの足どりはともすれば卓造さんより速くなってしまいます。七十二歳、病上《やみあが》りの卓造さんの足どりに合せて歩くには、静さんは元気がありすぎるのです。

そんなことを思いながら二人を見送った後、私が門の前を掃いていますと、間もなく卓造さんと静さんが帰って来ました。

「あら、もうお帰りですの」

あんまり早いのでびっくりしていいますと、

「ええ、今日はほんの足馴らしですから」

と静さんはいい、卓造氏に見えないように顔をしかめて見せます。

――私のキモチ、わかってよ！

というしかめ面《つら》です。私は困ってただ意味もなく笑い顔を作って、

「でもようございましたわねえ。こうしてお出かけになれるようになって……」

卓造氏に挨拶《あいさつ》をしました。

「やあ、おかげさまで」

と卓造氏はいつもの、愛想のない調子でいうと、軽く会釈して門の中に入って行きます。静さんも一緒に門を入って行きましたが、間もなく小走りに出て来て、

「ハヤトが留年になりそうなの」

いきなりいうのです。

「えっ、留年！　もう決ったんですか」

「心理学の単位が足りないのね。ところが偶然心理学の教授が卓造の教え子だった谷村さんだったのよ。谷村さんといえば、卓造が特別に目をかけてた学生で、

家が貧しかったものだから、本を買うお金なんかも時々、あげたりしてたのね。ずーっと欠かさず年賀状をよこしてるの」

「まあ……」

「それがわかったものだから、一言、何とかお願いしてみてくれないって卓造に頼んだのよ。それで悪いけど、勝代さんの知り合いだといわせてもらったの。事後承諾でごめんなさい」

「いえ、そんなことはいいけど……で？」

「ところが、卓造ったら……ほんとにわからずやのガンコ爺《じじい》でしょ。話にならないのよ」

「ダメなんですか」

「ダメも何も、私の話なんかロクに聞かないんですよ」

「じゃあ絶望なの？」

「ですからね、勝代さん、あなたから、頼んでみて下さらない？　卓造はあなたのこといつも褒《ほ》めてるから、あなたからの頼みだったら聞くかもしれないわ」

「でも、私……」

静さんが勝手に私の名前を使うのはいたしかたないとしても、自分から嘘《うそ》をつきに出しゃばって行く勇気は私にはありません。

「困るわ、私……困ります……」

「そんなこといわないで……ねえ、ハヤトを助けると思って……」

「でも……ご主人になんていうの？　ハヤトさんと私との関係」

「恩人の息子さんってのはどう？」

「恩人？　どんな恩を受けたことにするの？」

「ハヤトのお父さんはお医者さんだから、亡くなったご主人のために一所懸命尽してくれたとか」

「でも主人は一週間寝ただけで死んだんです」

「だからそこのところを、一年寝込んだことにして……」

取り縋《すが》らんばかりに……というよりは、トリモチにでもなったように静さんは私にすり寄って離れません。

「ごめんなさい。今、煮豆をガスにかけてるんです。ちょっと考えさせてくださいな」

私はやっとそれだけいって、逃げるように門の中に入ったのでした。

いくら私が気の弱いお人よしでも、そうそう静さんのいいなりになってはいられません。卓造さんの看病を二回、ハヤトさんのためにトンカツを揚げに行ったのが一回、くだらないお惚気《のろけ》を聞かされたり、手紙を読まされたり、その上今度は嘘までつけというのです。

こんな目に遭うのも私に夫がいないからでしょう。他人はヒガミ根性だと思うかもしれませんが、急に口惜《くや》しさがこみ上げて来て、もうもう静さんのいうことなんか、どんなことがあっても聞くものかという気持になるのでした。

夜になってから私は急に思いついて、ハヤトさんに電話をかけてみる気になりました。そんな気になったのも、静さんへの反発があったためかもしれません。

ダイヤルを廻《まわ》すとハヤトさんは退屈しているのかすぐに出て来ました。

「はい、もしもし」

という若い声を聞くと、つい弾んで若い気になって、

「ハヤトさん？　私、誰だかわかる？」

といってしまいました。

「あ、わかります。松本さんでしょ？」

よく憶《おぼ》えていてくれたこと！　私は嬉《うれ》しくなって、

「あたりィ……」

思わずけたたましい笑い声を上げ、

「よくわかったわねえ。記憶力がいいのね」

「そりゃあわかりますよ。電話魔としては一度聞いた声は忘れません。大分前のことだけど、ぼくが電話をかけたら、カンカンになって怒り出した人がいるんですよ。そんな悪戯《いたずら》電話をかけてる暇があったら勉強か働くかどっちかしなさい、ってね。その人がその後、偶然ぼくのところへ間違い電話をかけて来たんです。有島さんでいらっしゃいましょうか、なんていうから、ぼく、いってやったんだ、『もしかしたら、あなたはこの間の人じゃありませんか』って。そしたら『は？』なんていうから、『ぼく、電話であなたに説教された男です』っていったら、『まッ！』って怒って切っちゃった、アハハハハ」

「まあ！　じゃあハヤトさんって、頭いいんじゃないの」

「さあ、それはどうかな」

「記憶がいいんだもの」

「ところがこういうことだけよくてね。勉強の方の記憶はどういうわけか、まるっきりダメなんです」

「そんな……ひとごとみたいにいって……」

たしなめる口調でそういうのが、なんだか楽しいのでした。

「ところでハヤトさんあなた留年ですって？」

「あ、もう知ってるんですか」

「静さんが心配してらっしゃるわ。それでね。留年を止める方法を考えていらっしゃるの」

「そんなこと出来ないでしょ。出来たとしてもしてほしくないな」

「してほしくないの？　どうして？」

「だって、どうせ教授か何かに頼むんでしょ。そしたら、お礼いいに行ったりしなくちゃならないの、メンドクサイんです、ぼく」

「メンドクサイ？　ほんと？　じゃあ留年でいいのね？」

「ええ」

答は簡単です。拍子抜けがして言葉のつぎ穂を失っていると、ハヤトさんはいいました。

「そんなことよりぼく、この頃、すごいT・Fが出来たんです」

「T・F？　T・Fってなんですか」

「テレフォンフレンドですよ」

「テレフォンフレンド……静さんみたいな？」

「ええ」

ハヤトさんはいいました。

「声がね、ハスキーっていうのかな、低いんだけど何ともいえない甘さがあって、それでもって冷たくて……それでいて人をそそるんです。どんな人なのか、声だけじゃわかんない、年も、性質も……。若くない……つまり二十代じゃないことだけは確かだと思うんだけど、それ以外のことは何を訊《き》いても答えてくれないんです。笑ってごま化すんだけど、そのごま化し方、話の外《そ》らせ方が魅力的で、多分からかわれてるんだろうけど、からかわれてることがキモチよくて……」

「水商売の人じゃないの」

「そうでしょうか。水商売の人ってそうですか？」

「私もよくわからないけど、あの人たちは男の人との応答に馴れてるでしょうからねえ」

「そうかなあ……」

ハヤトさんはいつになく熱心な声です。

「ぼく、今んとこ、留年のことより、その人に夢中なんです。一度でいいから会いたいんです」

夢中といえば、ひと頃はハヤトさんは静さんとの電話に夢中でした。

去年の秋の終り頃から三日にあげず電話をかけて、揚句の果《はて》に一目会いたい、どうしても会いたいといってダダをこねていたのではありませんか。

「あなたって移り気なのね？　一時は静さんに夢中だったでしょ？」

皮肉っぽくいってやりましたが、

「そうですね」

素直にケロリといってのけます。

「ぼく、女の人の電話の声にシビレるたちなんで、実物を見ちゃうと、情熱が醒《さ》めてしまうんです。つまりね、声によって想像力がかきたてられて、イリュージョンがひろがるでしょ。それがいいんですねえ……」

ハヤトさんはいいんですねえ、ですむかもしれないけど、静さんはどうなるんですか！　何も知らずに静さんは、何とかして留年を防ごうとあれこれ智恵を絞って心配しているのです。

私がそういってたしなめると、彼は、

「でも、そんなこと、ぼくから頼んだわけじゃないですよ」

頓着《とんちゃく》なく答えて、

「じゃあ、失礼します。今頃かけると彼女、たいてい出てくるんです」

そういって電話を切ったのでした。

若い恋人を持ったつもりでいい気になっている静さんを見ると、シャクにさわってならないのですが、その恋愛は静さんの幻想にすぎなかったことがわかると、今度は急に気の毒になり、ハヤトさんの移り気に腹が立ってくるのです。けれど考えてみれば、「移り気」だといって怒って責めるというのも、この場合それほどスジが通っていることにはならないようで、そもそもが悪戯電話をかけて来た相手を本気で恋する方がおかしいのかもしれません。

私は複雑な心境で、この新事実を静さんに告げてよいやら悪いやら、とつおいつしながら目醒めがちな一夜を過したのでした。

そんなこととは知らない静さんは、翌朝早くから電話をかけて来て、昨日の頼みごとの返事を催促するのです。すぐには答えられなくて、口ごもっている私に、

「もしお邪魔でなかったら、これからお伺いしていいかしら」

といいます。仕方なく「どうぞ」といってしまう私の気の弱さ。静さんは五分と経《た》たぬうちにやって来て、こういうことは早い方がいい、午前中に卓造さんを説得して、うまく行けば午後からでも谷村先生の家を訪ねたいといいます。

「でも、そんなことより、肝腎のハヤトさんは」

何も知らない顔をして私は訊《たず》ねてみました。

「ハヤトさんは谷村先生に頼んでほしいといってるんですの？」

「いいえ、それはあの子にはいってないわ。だって、彼の自尊心を傷つけたくないもの……ハヤトに知らせないでやりたいの。谷村さんへのお礼も、私が出すつ

もりしてます」

静さんは気負いの出ている目で私をじっと見ていいました。

「わかって下さるわね？　私がハヤトのためにどんなに役に立ちたいと思ってるか……勝代さん……」

そういうと静さんはふいに目を伏せて、しみじみいいました。

「私がハヤトに与えることが出来るものったら、何もないんですもの……わかるでしょう？　せめて、こういう時に……役に立ちたいのよ……」

——与えることが出来るものが何もない……。

その一言に籠《こも》っている悲哀に私は胸がしめつけられたのでした。だって、静さんは与えたいと思っていても、ハヤトの方は与えられたくないのですもの。

「静さん。ハヤトさんは……」

私はいいました。改まって、さあ、いってしまおう、と決心して口に出したのでしたけれど、そういってしまってから、はっと気がつきました。ハヤトさんがいっていたことを告げると、私が勝手に電話をかけたことがバレてしまいます。

仕方なく咄嗟《とっさ》に、

「電話をかけて来ます？」

とごま化しました。

「ここんとこ、向うからはかかって来ないの、だから私の方から暇を見てかけてるんだけど……なんだか元気がないのよね」

それは元気がないのではなくて、気がないだけなのよ、といいたいのをこらえます。

「やっぱり留年のことを心配してるんだと思うのよ、だから、早く手を打って安心させたいの。だから、ねえ、勝代さん、お願い……」

と話ははじめに戻るのです。拒むいいわけに困って、私は殆《ほとん》ど無理やりに静さんに連れ出されてしまいました。

島本家では今夜、卓造さんの全快祝いをするとかで、正子さんがクッキングスクールで習ったばかりの料理の腕をふるうべく、デパートの買物を台所いっぱいに広げているところでした。

「ねえ、お姑《かあ》さま、お肉はどうしましょうか。お舅《とう》さまはトルネードステーキのおソースに、きのこを入れても召し上るかしら」

「マッシュルーム？　いいでしょ、入れれば」

「でもお舅さまは、きのこをあんまりお好きじゃありませんでしょ」

「いいのよ、だいじょうぶ」

きのこのことなんかどうでもいい、こっちはそれどころじゃないんだ、という気持がありありと出ているいい方で、さっさと台所を通りすぎます。

二階へ行くと卓造さんは、机の上はおろかベッドや床の上にまで本や古文書《こもんじょ》のようなものをいっぱいに広げた中で、虫メガネを片手にぶ厚い本の上にかがみ込んでいるところでした。

「あなた、勝代さんをお連れしましたの」

その卓造さんの丸めた背中に向って静さんは声をかけました。

「勝代さんがお願いがおありになるんですって」

卓造さんは身体を起してふり返り、私を見て、

「やあ、奥さん――」

と喜ばしげな声を上げました。

「おめでとうございます。ご全快で……」

「いや、ありがとう。しかしそんなことより、是非奥さんに聞いてもらいたいことがありましてね。丁度よかった。まあそこへお掛け下さい」

「それよりあなた、勝代さんのお話を先に聞いて下さいな」

と静さんがいうのに耳も貸さず、

「暖かくなったら、青森県まで出かけようと思っているんですがね。いかがですか、奥さんもひとつご一緒に……」

「青森県のどちらへいらっしゃいますの？」

「新郷村《しんごうむら》ですよ。キリストの墓がある村です。その村のさる素封家の、先祖代々の墓地に、大きな土饅頭《どまんじゆう》が二つあるんです。誰が埋葬されているのかわからなかったんですが、どうもそれがキリストの墓らしいというんですな」

「あなた、そのお話はまた今度にして……」

と静さんがいうのを押しのけるようにして、

「わたしの調べたところによるとキリストは石川県能登《のと》から上陸し、伊勢の皇大《こうたい》神宮《じんぐう》で修行をした。それは祭祀《さいし》、歴史、天文学から術事、文字学に及んでいます。そうして、その修行をした後、使命を果すために一旦《いったん》帰国し、約十五年後に再び日本へ来て青森県へ行ったんです。キリストは実に百十八歳まで生きたんですよ……」

卓造さんはもうしゃべり出したが最後止らないという調子で、私を見つめた目を逸《そ》らさないのでした。

2

卓造氏がいうには、キリストは、神武紀元六百二十四年甲申《きのえさる》の年の一月五日にパレスチナに生れたのだそうです。神武紀元六百二十四年といえば、十代崇神《すじん》天皇の御代で、その夜は弦月を金星と火星が横切るという現象が起ったといいます。

しかし、私が子供の頃から聞き知っていることは、キリストが生れたのは十二月二十五日で、クリスマスプレゼントやカードはそれを祝福して贈るものだった筈《はず》です。

それでつい、私は卓造氏の言葉を遮って、いってしまいました。

「あら、キリスト降誕の日は十二月二十五日ではありませんの？」

後から思うと、その質問が余計だったのです。ついうっかり、そんな疑問を口にしたばっかりに、卓造氏はみるみる元気づいてランランと目を輝かせ、

「いい質問です！　そこに問題があるのですよ！」

と乗り出したのでした。

「歴史は十二月二十五日をキリスト生誕の日と定めて来ました。しかし、十二月二十五日というのは、キリスト生誕の日ではなく、キリストが逝去した日であるという説を立てている人物がここにいるのです……」

そういって机の上の古文書のようなものを、骨ばった手でバシッと叩《たた》きました。

「いいですか、奥さん、十代崇神天皇即位六十一年、一月五日にキリストが生れ、

その同じ年の十二月六日に弟が誕生しているのです。弟の名前はイスキリといいます」

「はあ、イスキリ……でございますか」

あまり珍しい話なので、私はびっくりして、またいわでものことをいってしまいました。

「そうです。イスキリです」

卓造氏は私が驚いたのを見て満足したように大きく肯《うなず》き、

「イスキリは兄キリストと十一か月違いで生れたためか、まるで双子のように瓜《うり》二つであったというんですな」

「まあ……」

「確かこの前にも少しお話ししたと思いますが、キリストが捕えられ、十字架を背負わせられてゴルゴタの丘へと引っ立てられて行った時、キリストは神よ、なぜ我をお見捨てになるのですか、と天に向って叫びました。キリストほどの偉大な人物が、なぜそんな弱音を吐いたかということは、長い間、学者や宗教家の間で論じられて来ましたが、それは十字架上に処刑された人物はキリストでなく、イスキリであったからだと考えれば、実に簡単に解決するのですな。捕えられる前にキリストはゲッセマネの園で神に祈りを捧《ささ》げていっています。『父よ、この杯を我より取り給え。汝《なんじ》が願うところに任せ給え……』わかりますか、奥さん。汝の願うところに任せ給えというのは、弟を自分の身代りになどさせたくない。自分が十字架にかかりたい。しかし、それが神の意思であるなら、神の意思に従いましょう……悲痛な思いでキリストは弟に身代りをさせたのです……」

「まあ！……ではイスキリもキリストのその気持を理解して……」

「そうです。進んで兄の身代りとなったのです……ところが奥さん、この系図を見て下さい……」

調子に乗った卓造氏は、机の上に丸めてあった巻紙をベッドの上に広げました。そこには半ば消えかけた難しい文字が書かれていて、私には何のことやらさっぱり読めません。

「これは、どういう……」

といいかけた時、それまで何もいわずに側にいた静さんが、たまりかねたようにいいました。

「そんなことより勝代さん、大事なご用がおありになったんじゃありませんの！」

堪忍袋の緒が切れた、といわんばかりのその大声の語尾は慄《ふる》えて、はったと私を睨《にら》みつけているのでした。私は慌てて、

「あっ、ごめんなさい！」

思わず謝ってしまったのでした。

「あなた、勝代さんはあなたに急ぎの頼みごとがおありになっていらしたんですよ。なのに、一方的にそんな話ばっかり聞かせて悪いじゃありませんか」

静さんは卓造氏にも目をむいてけんつくを喰《くら》わせます。

「いえ、どうか……もう、そんなにお怒りにならないで……これからお願いの筋を申し上げますから」

私はヘドモドして汗を拭《ふ》き、

「お願いの筋と申しますのは、実は、あのう……私の知り合いの……息子さんのことなのでございますけれど……実はR大学の三年生でして……それが、今度、単位が足りないとかで留年に……」

「ああ、そのお話ですか、それなら家内から聞いていますが、しかしねえ、奥さん、わたしは教育者として四十年、ひとつの信念をもって生きて来たのです。その信念というのは、教育の場というものは、常に正しく、清くなければいけないということなんです。いやしくも情実とか金銭、あるいは同情、そういうものが持ち込まれた時から教育は腐敗して行く——わたしはそういう考えを貫いて来ました。教育の場だけは公正でなければいかんのです。怠惰な者は怠惰の罰を受ける——勤勉、真剣に学問に向う者は正しい報いを受ける。金銭や情実のために怠惰な者が勤勉な者を押し退《の》けるような不公平が行われてはいかんのですよ……」

「はあ……それは、ごもっともでございます」

思わず私はそう肯いて、静さんに睨みつけられたのでした。

結局、私は卓造氏からイスキリの話を聞かされただけで家へ帰って来ることになりました。イスキリの話を熱心に聞けば、そのお返しに私の頼みも聞いてもらえるかと思ったのでしたが、静さんは、

「勝代さんって、甘いのねェ……」

自分から無理に頼みごとをしておきながら恐縮もせず、憤然とした様を隠そうともせずにいうのです。

「そんな男じゃないのよ、うちの主人は……」

苦いものでも吐き出すように眉《まゆ》をしかめ、

「もうエゴイストのガリガリ亡者なんだから……自分のことしきゃ考えない人なのよ。だから、ヘイヘイいっているとどこまでつけ上ってくるかわからないの。勝代さんたら、人がいいからすぐに主人のいうことに賛成するんですもの……」

そんなに私がお人よしで頼みにならないのなら、私になんか頼まなければいい

のです。そういってやりたいけれど、私ってどうしてこんなにダメなんでしょう、いえずに我慢しました。

静さんはハヤトのことで、もう頭がいっぱいになっているのでしょう。だからひとのことなんか考えられなくなっているのです。そう思うと、なんだか気の毒になって来てむっとしていても許してしまいます。

その夜、私は静さんに電話をかけて、役に立たなかったことを謝りました。すると静さんはこうなった以上仕方がないので、ハヤトさんを連れて直接谷村教授のところへ頼みに行くつもりだというのです。

「で、ハヤトさんは？　行くって？」

と私は訊ねました。ハヤトさんが行く筈がないと思ったからです。すると案の定、

「それがねえ、さっき電話したんだけど、いやだっていうのよ。それで私、明日、引っぱり出しに行くつもりなの」

「ハヤトさんのところへ？」

「そうよ」

「でも、いやだっていうものを無理に連れて行くこともないんじゃありませんか？」

「ダメ、ダメ！」

静さんは叱《しか》りつけるようにいって、

「あの子は、二年も浪人してたのよ。それにまた留年してごらんなさい。どうなるの。就職も出来やしないわ」

「でも、本人がそれでいいと思っているんなら……」

「ダメですよ、そんなこと！　他人はひとごとだからそんな気楽なことといっていられるのよ！」

気負い込んだ声で叫ぶようにそういった静さんでしたが、翌日の夕方、かかって来た電話の声は別人のようで、

「勝代さん、まあ聞いて下さいな」

という声は弱々しくて聞き取れないほどなのでした。

静さんの話というのはこうです。

静さんが谷村教授のところへ持っていくブランデーの包みを提《さ》げて昼前にハヤトさんのマンションへ行くと、ハヤトさんはまだベッドの中にいて、誰かと電話で話をしていたそうです。ドアにロックがしてなかったので、静さんは声をかけて入って行き、二人で食べるつもりで用意して行ったパンとハンバーグで、ハンバーガーを作ろうとしてトマトケチャップを探していると、ハヤトさんの声が聞

えて来たので、静さんはつい聞き耳を立ててしまったのでした。

「そんなこといわないで、お願いします、お願いします……お願いしますよう……」

ハヤトさんは三度もお願いしますをくり返したので、これは留年の件を誰かに頼んでいるのかと静さんは一瞬思ったのだそうです。ところが、すぐそれにつづいて、

「奥さんって、どうしてそんなにイジワルなんですウ」

と甘ったるい声がいったので、静さんは飛び上るほど驚いてしまったとか。それは最初の頃、ハヤトさんがよく静さんに向っていった台詞《せりふ》だったらしいのです。それから「一度でいいから会って下さい」とか「その声にシビレるんですよウ」とか、憶えのある言葉が次々と耳に入って来て、静さんはトマトケチャップの瓶を握ったままぶっ倒れそうになったのだそうです。

しかし静さんは倒れないで堪えました。

——取り乱してはいけない……取り乱してはいけない……。

必死でそう自分にいい聞かせたんだそうです。ともすればその場に坐《すわ》り込んでしまいそうになる身体に鞭打《むちう》ってハンバーガーを作り、コーヒーをいれてハヤトさんの寝室へ運び、にっこり無理に笑って、

「ボンジュール　モン・シェリー」

といったとか。

「まあ、静さん……ほんとうに、あなたって、お偉いのねえ……」

と私はほとほと感心してしまいました。普通なら逆上して喚《わめ》くか、そうでなければ泣いてしまうか、うちのめされてモノもいえなくなるかでしょう。それを微《ほほ》笑《え》んで、

「ボンジュール　モン・シェリー」

とは！　しかもフランス語で！

やっぱり六十になって若い男に情熱を燃やす人は女のデキがちがいます。

私がそういって感心すると、静さんの弱々しい調子に少し力が出て来て、

「そりゃあ、私だって、むざむざ六十年、年を喰ってきたわけじゃありませんよ！」

といいましたが、私なんかには同じ六十でもとてもそんな覇気はありません。

静さんはいいました。

「ところがハヤトったら、どうでしょう。そんな電話を私に聞かれても平気なのよ。『楽しそうな電話ね』っていってやったら、『そう見えますか』ってニコニコしてるの」

「まあ！　図々しい！……」

「そしてね、ぼく、今んとこ、この人に夢中なんです、って……」

「そんなことをいったんですか！　ニクらしい……」

「人妻なんだか、仕事持ってる人なんだか、さっぱりわからないんだけど、デモニッシュなところがたまんないんだ、なんて……」

「あの、静さん、そのデモニッシュってなんですの？」

「悪魔的ってことですわ」

と静さんはほんとに物識《ものし》りです。

「でも勝代さん、私、明るい声で、『まあ、そうなの！　よかったわねえ』といったんですのよ！　なにがよかったわねえ、なんだか……後で思うと、悲しくて……だって、そういうほか、どういえばいいのか、わからなかったんですもの……」

「わかります、わかります、そのキモチ」

「わかって下さる？　勝代さん……」

「わかりますとも。あなたなればこそだわ、その気丈さ……」

「ありがとう。でも……辛《つら》いのよ……」

静さんの声は突然途切れて、受話器の中はいつまでもシーンとしているのでした。

その夜は一晩中、私は静さんとハヤトさんのことを考えて過しました。どっちにしても他人のこと、なにも私なんぞが一晩中考えることはないようなものの、ほかに考えることがなければ、やはりじっくり考えたくなるのです。それにじっくり考えることがあるということは、刺激と充実感があっていいものです。
一、静さんはこのまま、ハヤトさんを諦《あきら》める。
二、あくまで己を抑えてハヤトさんに尽し、無償の愛を貫く。
三、恋を母性愛に変えて行くべく努力、修業をする。
一晩かかって考えたにしてはつまらない結論だと思われるかもしれませんが、私なりにまとめた考えはこの三つです。

私はふと思いついて山藤小夜子に電話をかけました。いつだったか（確かハヤトさんからの電話で静さんの気持が乱れはじめた頃です）私からこの話を聞いた山藤さんは、静さんが積極的に出ることに賛成していたのですから。

山藤さんはいつも、電話の呼出音が三つと鳴らないうちに受話器を外します。そして機嫌の悪そうな低い声が、

「はい、山藤です」

ぶっきらぼうにいいます。けれども私が、

「山藤さん？　私、勝代」

というと、俄《にわ》かに明るい大きな声になって、

「ああ、カッチン、どうしてる」

昔のままの〝お小夜〟なのでした。

私は静さんの新しい事態について話しました。そして私が考えた三つの意見のうち、どれがいいかと訊ねました。すると山藤さんは開口一番、

「三つとも感心しないね」

あっさりいうのです。

「ここまで来ておいて、おめおめ諦めることはないわよ。六十女の面目にかけてもハヤトくんをモノにするべきだわ」

「モノにする、ですって」

「そうよ。中途半端ってのが一番いけないのよ。我々の世代の欠点はすべて中途半端なことよ。始めたからにはトコトンやった方がいい。いや、やるべきよ」

「やるべきたって、相手のキモチってものがあるでしょう」

「ソレソレ、そういうことを考えるのが我々の世代のいけないところなのよ。乾坤一擲《けんこんいってき》。のるかそるか。ここまで来たからには、せめてハヤトの童貞を奪ってか

ら別れるべきだと思うよ。わかる？　新時代に生きる女はそういう気概が必要だよ」

しかし、色恋が気概だけで成就するものでしょうか？

「男なんてものはね、そりゃあモロイんだから。特に二十二、三なんていうと、一種のイロ餓鬼ともいうべき状態に陥っているとみていいんだからね。女が四十であろうが五十であろうが、据膳《すえぜん》据えられればイチコロよ」

「静さんは六十よ」

「そう、六十であろうが、七十だろうが、もう何だっていい、という日があるのよ」

そういってから山藤さんは、改めて質問しました。

「その子、ガールフレンドいないんでしょ」

「いないらしいわ」

「それならゼッタイよ。押して押して押しまくれば」

「でも、それが、さっきいったように、幾つだかわからないけど、とにかく新しいテレフォンフレンドに夢中になってて……」

「ダイジョウブ。相手はテレフォンだけの女なんだろう？　そりゃあ生身の方がずっと強いよ」

「そうかしら……」

「きまってるじゃない！」

山藤さんは声に確信を籠《こ》めました。

「だからね、早く攻勢に出ないとダメなのよ。ノソノソしてると、してやられるよ」

毒気を抜かれるとはこういう気持をいうのでしょうか。電話を切った後も、私は暫《しばら》くぼんやりしていました。

こういう意見を「観念論」というのではないでしょうか。一見具体的なのだけれど、現実的でない――私にはそんな気がするのですが、それをいうと、

「だから、ダメなのよ、大正生れは」

と一蹴《いっしゅう》されそうで何もいえなかったのです。

私は山藤さんの意見を静さんに伝えるかどうかに迷いましたが、あれこれ考えた末、やはり伝えないことに心を決めました。静さんをこれ以上、傷つけないためには、このまま成り行きに委《まか》せるのが一番いいと判断したからです。山藤さんにいわせれば、

「傷つくことを怖《おそ》れていたら、人生なんて少しも面白くないよ！」

ということになるのでしょうが。

それから数日過ぎました。

気にかかりながら、私は、静さんの連絡を待っていました。私の方から出向いてもいいのですが、卓造氏に出くわして、又例のイスキリの話を持ち出されてはたまりませんので。

一週間目に静さんの手紙が届きました。孫の勝ちゃんが郵便箱に入れるのを忘れていたのか、封筒が皺《しわ》になっていて、日づけが四日前になっています。

「勝代さん、

私、昨日から心臓の具合が悪くて寝込んでいます。なのに卓造ときたら、寝ても覚めてもイスキリイスキリです。

私、もう、ほとほとイヤになりました。

何のための夫婦でしょうか。

自分が病気の時ばっかり、当り前のように看病させて。イボ痔《じ》の手当までさせて。

昨日からずーっと考えています。思い切って離婚しようかしら。私が離婚をいい出したら卓造はどんな顔をするかしら。

その顔を見たい。それだけでも離婚する価値がありそう。

これ本気ですのよ。ヒステリイなんかじゃありません」

3

静さんの手紙を読んで私はびっくりしてしまいました。静さんが本気で離婚のことを考えているなんて、とても信じられません。

静さんと卓造さんが、毎朝の散歩の姿から想像されるような琴瑟相和《きんしつあいわ》した夫婦でないらしいことは、どうやらこの頃想像がつくようになりましたが、だからといって離婚を考えるまでになっているとはどうしても思えません。

きっと静さんは、ハヤトさんとのことが思うように行かないので八ツ当りをしているのだわ、と私は思うことにしたのでした。でも心臓が悪くて寝込んでいるというのは心配です。まさか心臓の方もハヤトさんが原因で悪くなったわけではないでしょうが、とりあえず私は二階へ上って窓から隣の様子を窺《うかが》うことにしました。

窓から見下ろす島本家の居間の前には、今、ボケの花が盛りです。その真紅の鮮かな花の集りの前に、小椅子《こいす》を持ち出してぼんやり坐っている静さんの姿が見えました。

びっくりするほど老い込んだ、窶《やつ》れた顔をうつむけて、じっと何かを考えている様子です。栗色《くりいろ》に染めた髪が艶《つや》を失って、ぼうぼうに逆立っているのもむごたらしく、顔の色は蒼《あお》いというよりもシブ茶色なのです。

静さんは恋に悩んでいるのでしょうか。そうだとしたら、やはり恋は若いうちにするものだわ……つい、私はそんなことを思ってしまいました。それほど静さんの姿は〝恋〟などというロマンチックなものからはほど遠いのでした。そう思うと私は気の毒さで胸がいっぱいになり、思わず階段を急ぎ足で降り、庭下駄《にわげた》をつっかけると、隣との境のブロック塀の風穴から声をかけたのでした。

「島本さん……奥さん……」

よっぽど深い思いに沈んでいるのか、静さんには聞えません。

「奥さん……静さん……私ですわ、ここ……塀のところ……」

何度か呼んでやっと気がつきました。

「まあ、勝代さん……」

小さく叫ぶようにいって、急ぎ足で塀のそばへ来ました。

「お手紙、さっき読みました。心臓がお悪いって……どんなですの？」

「ありがとうございます。先生は過労のせいでしょうとおっしゃって、静かにしていればいいらしいんだけど」

「よかった、じゃあたいしたことなかったんですのね」

「ええ、五日前の夜、急に呼吸《いき》が苦しくなって冷汗が出て、吐き気が来たんですのよ。思い当ることって何もないの、ベッドに入って暫くしたら突然、きたんですの。苦しいっていうより、びっくりしてしまって……それなのに勝代さん、聞いてちょうだいな、うちの卓造ときたら、鼻からか口からか知らないけど、道路工事みたいな音を出して、グワーッ、ゴォーッ、バリバリバリッて……それはもうイビキとは思えないの、どう考えても物質が破壊される音なのよ、そんな音を立てて……私は呼吸も出来ないで、金魚みたいに口をパクパクさせて白目を剥《む》いて喘《あえ》いでいるというのに……」

「まあ、大変でしたのねえ……」

「ほんとに、夫なんて何の頼みにもならない。私、つくづく、身に染みて、そう思いましたわ」

「まあ……それでどうなさったの」

「いくら呻《うな》ったって起きてくれないでしょう。名前を呼ぶにも大きな声が出ないんですもの。その時、私、こう思ったの、死んでもいい、いや、死んでやりたい、って。もしこのまま私が死んだら、明日の朝、死んでる私を見つけたこの男はどうするかしら……さぞかしびっくり仰天するだろうと思ったら、死んでやりたいって気になったのよ……ほんとうよ……」

私と静さんの間にあるブロック塀は私たちの顔ほどの高さなので、お互いの顔は見えません。上から三十センチくらいのところにある風穴を通して私たちは話をしているのでした。

静さんはその発作の後、正子さんが心配するので外へ出にくくなっているとか。

「うちへいらしてほしいんだけど、今日は正子さんが家にいるから、いいたいことがいえないのよう」

ということなのでした。正子さんは卓造氏の友人で両親ともに教育家の娘さんで、卓造氏も静さんも大いに気に入って貰《もら》ったお嫁さんです。ですからさすがに家庭をきちんと守り、礼儀正しく、気働きがあり、料理を習うとか、バーゲンセールを目ざしてデパートへ行くとか、子供の学校のことで出かけるとか、外出する時の目的も明瞭《めいりよう》で時間はきちんと守り無駄というものがない、いつも家族のためを考えていて、自分の楽しみのために時間やお金を使うということは殆どないという、文句のつけようのないお嫁さんなのです。

けれども静さんにはそういう正子さんの、完全無欠ぶりが気に染まないようで、「うちの正子さんみたいなへ理窟《りくつ》やさんは」とか「正子さんなら気が合うようなもっともらしい優等生ぶり」などという言葉を、何かの話の端々で耳にすることが間々あります。

特にハヤトくんとのことが起きてからは、ますますそんな正子さんの模範主婦ぶりがハナにつく……というよりも、実際問題として不自由でたまらなくなっているらしいのでした。

人間って、ほんとうに贅沢《ぜいたく》なものです。

静さんを見ていると、つくづくそう思います。だらしなければだらしないで気に入らない。毎日のように出かける外出好きだったら、留守番ばっかりさせられるといって怒るでしょう。お舅《とう》さん、お姑《かあ》さんと気を配ってくれるから、「うるさい、おせっかい者」といっているので、これが病気だといっても知らん顔、何の心配もしてもらえなければ、カンカンになるのに決っています。

それにしても嫁や娘が親の目を盗んで恋に狂い、自由に憧《あこが》れるという話は昔からよくありますが、姑《しゅうとめ》が嫁の目を盗んで自由を欲しがるというのはあまり聞いたことはありません。今の姑は嫁の邪魔をしないよう、乏しい小遣いをやりくりして用もないのに出て歩かなければならないことに苦労しているのですもの。

ブロック塀越しに話をしてから数日経ちました。私は埼玉県の団地にいる娘を誘って、久しぶりに親娘で夫の墓参りに行きました。娘は私の顔を見るといつも癖のように家計の苦しさをいい立てます。娘の夫は公務員で趣味というものは特別に何もなく、ただ土曜日の晩に一本のビールを娘と二人で分け合って飲んで、「津軽海峡冬景色」（以前は「襟裳《えりも》岬」でした）を歌うのが唯一の楽しみだという人です。

子供はほしいけれど、今のところは産まないようにしている、といいつつ、もう結婚して六年になります。土地つきの家を建てる見通しがつかないのに子供を産めないというのです。

けれどもその見通しがつく頃には、もう産めない年になってしまうのではないでしょうか。私がそんな心配を口にすると、

「そんならお母さん、お産の費用と養育費出してくれる？　そんなら産んでもいい」

と、こういう娘なのです。

けれども久しぶりで娘と会うのはやっぱり嬉しく、楽しいものです。「お母さん、電車賃」とか「バス代」とかいって、当り前のように手を出します。くれるのではなくて、くれというのです。

「あんた、たまにはコーヒーくらいお母さんに奢《おご》ってくれたらどうよ」

といってやってもどこ吹く風で、

「だってお母さん、こんな時でもなかったらお金使うことないでしょ？」

とすましています。今日は久しぶりでお母さんに会うから、サーロインステーキを食べてくるわ、と夫にいって来た、だから、今日はゆっくり帰ればいいのよ、と厚かましくいうのです。いったい普段は何を食べているのやら。

「絹子、そんな生活していて、いったい何が楽しいの？」

レストランのテーブルに向き合って、サーロインステーキを注文した後で私はいささか呆《あき》れて訊きました。すると絹子は、

「そりゃあ、お母さん、私たちにだって楽しみはあるわよ」

といってニヤニヤします。

「わからない？　お母さん。わかるでしょ？　昔の夫婦はみな、そうだったんじゃないのかしら。日本が貧乏だった頃よ」

「昔？　貧乏だった頃――？」

「そうよ、貧乏人の子沢山――ほかに楽しみがないからね」

私が考えていると絹子は笑いながらいいました。

「セックスよ、お母さん」

「まっ！」

あんまりびっくりして私は言葉が出ないのでした。セックスなんて言葉、テレビで聞いたり、活字で読むことはあっても、いったこともなければ、いわれたこ

ともありません。まして娘が母親に向ってそんなことをいうなんて。

絹子は口を開けたまま、言葉の接続に困っている私を見て、

「なにをびっくりしてるのよ、お母さん」

というと、ステーキはまだ来ないというのに丁度運ばれて来たパンをちぎって食べながら、

「私たちね、その点ではピッタシカンカンなの」

というのです。

「ピッタシカンカン？　なんのこと？」

「性的によ。この上なく一致してるのよ、すべてが」

そういって満足そうにワインを飲み、ボーイが運んで来たステーキの皿を引き寄せる。

「うちのノボルったら、ああ見えてそれはスキなの。とにかく一日も欠かさずしたい方なのよ。それも時間をかけてね。そう二時間くらいかけるかしら」

二時間も！　いったい何をしてそんなに時間がかかるのです！　私と夫の時なんか、どう考えても十五分か長くて二十分くらいでした。早い時は五分くらいの時だってあります。

「いったい登さんは……異常体質なんじゃないの……」

私がいうと、絹子は、

「どうしてェ？」

と目を瞠《みは》り、

「だって前戯に一時間はかけるもの」

前戯？　そんなもの、私たちなんか三分くらいだったわ、と私は思わずいいそうになったのでした。

爪《つめ》に火を灯《とも》すようなケチケチ生活をして、何の趣味もなく、決った時間に家を出て決った時間に帰ってくる。いったい何が楽しくて生きているのだろうと思っていましたが、こんなことに楽しみがあったとは！

「とにかくノボルは研究熱心なのよ。私たち、なるべく無駄なものは買わずに貯金するという方針だけど、でもこの楽しみにだけはいくらかお小遣いを割《さ》くことにしたの。だから時々、おとなのオモチャなんか買ってくるのよ。ゴルフやマージャンとちがって、これは夫婦して楽しむことでしょう。夫の趣味としては一番いい趣味だなんていって……」

――おとなのオモチャって、どんなもの、と訊こうとして私はやめました。美容院の週刊誌でそんな物があることを読んだような気がします。

私には目の前の娘がまるで他人のような……いいえ、何か妙に取り憑《つ》かれた人にでもなったように思えてきて、ステーキが冷たくなってしまうのも忘れて、ナイフとフォークを持ったまま絹子から目を逸らすことが出来ませんでした。

「お母さん、ステーキ食べないの？　食べたくないの？　なら私にちょうだい」

厚かましくいって、私の皿にフォークを持った手を伸ばして来ます。そして絹子はこういいました。

「ねえ、お母さん、今まで一度聞きたいと思いながら聞かなかったんだけど……いいかしら？　聞いても……？」

「なんなの、聞きたいことって……」

絹子はいいました。

「浮気のことよ」

「浮気？　誰の話？」

「お父さんのよ。お父さんの浮気。……あのことについてお母さんは何もいわなかったけど、本心はどうだったの？」

それはショックを受ける、なんてものではありませんでした。私はただポカーンとして、娘が何をいっているのか、やっぱりこの娘はアタマがおかしくなっていたのか、とそんなことを思ったのでした。

つまりそれくらい、私は夫を信じていたのです。あんなに忙しく働いた人、生きている間中、何の楽しみも追わずに働いて働いて働きまくって、だから早く燃え尽きて死んでしまったのだと私は思っていた。

それなのに娘は夫が浮気をしていたのだというのです。

「お母さん、本当に何も知らなかったの？　本当？　わァ……信じられないわ、お母さんたら……」

絹子と別れて電車に乗ってからも、その声が耳の中に残っていました。

「わたしはね、お母さんは私たちにヤキモチを見せまいとしてがんばってるんだとばかり思ってたわ……」

絹子は高校二年の時に、夫に愛人がいることを知ったというのです。その愛人は夫が宣伝部長をしていた化粧品会社の、コマーシャルに出ていたモデルだといいます。

「でもどうして絹子、そんなことを知ってるの」

私はまだ信じられない思いでそういったのでしたが、絹子はこともなげに、

「どうしてって、そんなこと、気をつけてればわかったじゃないのよう」

といっただけです。

「忙しい忙しいって、殆ど毎晩夜中に帰って来たでしょう。帰って来ない日だっ

て珍しくなかったじゃないの」

「だから、あれはお仕事で」

「呆れた、お母さん、本当に知らなかったの！」

絹子は珍しいものでも見るように私を眺め、

「横浜のおばさんだって気がついてたわよ。だからいってたわ、義姉《ねえ》さんはえらいって。ヤキモチなんか気《け》ぶりにも出さないって。絹子ちゃんもお母さんみたいな、あんな奥さんになりなさいって、結婚する時、挨拶に行ったらいわれたわ」

屈辱と口惜しさで張り裂けそうになって私は家に辿《たど》り着きました。

死ぬ前に夫は私に「すまん」と一言、いい残して死んだことが急に思い出されました。いつだったか、卓造氏がいった言葉が浮かび上って来ました。

「いいですなあ……『すまん』……ああいい言葉だ。羨《うらや》ましい……」

それから卓造氏はこうもいったのでした。

「今わの際《きわ》に、妻に向ってすまん、といえる夫は日本一の倖《しあわ》せな人ですよ……」

私はよろよろと部屋に入り、卓袱台《ちゃぶだい》にうつ伏して泣きました。今頃泣くなんて、と思いながら、思いっきり泣きました。何というむごい話でしょう。怒ってやるにも詰《なじ》ってやるにもその相手はもういないのです！　さんざん好き放題をして、人を欺《だま》して、嘘をついたまままいなくなってしまうなんて、卑怯者《ひきょうもの》！

なにが「すまん」ですか！

なにが「忙しくて忙しくて」ですか！

二言目には「疲れた、疲れた」といって背中を向けて寝てしまった。女のところでそすることをしていたから、うちではもうする必要がなかった。それも私は、疲れてそんな気がしなくなっているのだと思って気の毒がっていたのです。感謝していたのです！　死んでからも祥月命日には必ず仏壇に好物だったところてんと赤飯を供え、毎日の供花も欠かしたことがなかったのです。

「余計なことをいったかしら？」

別れ際に絹子がそういったのは、多分私がただならぬ顔つきをしていたためでしょう。

「ううん、いってくれた方がよかったのよ」

やっとの思いでそう答えたのでしたが、そういった時、突然、お腹《なか》の奥の方がカーッと熱くなったと思ったら、まるで噴火口からマグマが流れ出すように、熱いものが（それが何であるかはよくわからぬままに）ドロドロと下腹部に充満して、私は久しぶりで（というよりははじめて、といった方がいいかもしれません）じっとしていられないような強い欲情を感じたのでした。

翌朝、私は珍しく朝寝坊をしました。朝寝坊といっても目は覚めていながら起きる気がしなかったのです。時計が九時を過ぎるのを見て、しぶしぶ寝床から出たところへ玄関のチャイムが鳴りました。出てみると化粧気がなく髪も乱れたままの正子さんが立っています。

「お早うございます。早くから申しわけございません」

正子さんは緊張した様子でそういうと、そこから急に声を落しました。

「あのう……実は……義母《はは》が……おばあちゃまが……見えなくなりましたの。今朝早くか、昨夜のうちか、どっちかわからないのですけれど……」

「えーっ」

と叫んだきり、口紅のついていない正子さんの唇が、意外に色の悪いのを見つめたまま暫くはものがいえませんでした。

「義父《ちち》が休む時は寝室にはいらっしゃらなかったんだそうですの。でもそんなことは珍しいことではないので、どうせ階下《した》でテレビでも見ているか、電話でもかけているんだろうと思って、気にも留めずに先に休まれたらしいんですの。朝になって気がついたら、ベッドはきちんとなっていて、それが昨夜のままなのか、今朝早く片づけられたものか、よくわからないんですの、お義父《とう》さまには……」

正子さんは剃《そ》り込んだ眉を少しひそめ、

「暢気《のんき》というか、無関心というか……何しろ研究一途《いちず》の方だものですから」

そういってから、一段と声を落していいました。

「置手紙がありましたの。ベッドの上に」

「置手紙！　どんな？」

「文面は簡単なんですの。離婚したいと思うって。それで暫くの間、家を出て考えたい……」

「まあ！……」

全く、「まあ」としか私にはいいようがないのでした。

4

静さんの家出について、正子さんは私に心当りはないかと訊きに来たのでした。

「奥さまとはお親しくさせていただいておりましたから、もしかしたら、何かご存知かと思いまして……」

正子さんはそういって、賢そうに目尻がややつり上った瞳《ひとみ》を私に向けます。私は何をどういってよいのかわからず、

「さあ……心当りといっても何も……」

言葉を濁して視線を逸らすしかありません。

正直なところ私はそれどころじゃないという気持でいっぱいです。夫に愛人がいたなんて……夫に愛人がいたなんて……昨夜は一晩中そう呟《つぶや》いては、眠ったのか眠らなかったのかわけのわからぬ夜を過したのです。夫が生きている間は、嫉妬《しっと》のために眠れない夜なんて、一晩もなかったのに、死んで六年も経った今になって嫉妬に身を灼《や》くとは……。

夫が死んで六年、今ほど夫が死んでしまったことを恨めしく思ったことはありません。一日、いや半日、いや一時間でいいから夫を蘇《よみがえ》らせたい。そして欺されていた口惜しさをぶつけたい。罵《ののし》って罵って罵りまくりたいのです。もし夫が生きていたら、私も静さんのように家出するでしょう。

「実はねえ、奥さま。暫く前に気がついたことですけど、今年になってからおばあちゃま、急におしゃれになりましたでしょう？　そうお思いになりませんでした？」

私の胸のうちの焔《ほのお》も知らず、正子さんは一大事らしく声をひそめます。

「そういえば……そうですねえ……」

仕方なく同意しながら、本当に男って、静さんのいう通り自分勝手のエゴイストだわ、と思う。妻を――自分を信じている者を平気で欺《あざむ》けるのが男です！　欺かれているのに何も知らないで信じ尽している者を見て、良心の呵責《かしやく》を感じるどころか、ますますいい気になって欺しつづけるのが男です！　愛人を抱いた手で、平気で妻を抱く！　そうして較《くら》べていたのでしょうか？　やっぱり若い女はちがうな、とか、バレないように女房の方にもサービスしなくちゃな、とか……。

夜通し妄想したことが、正子さんの話を聞いていてもまた蘇って来るのです。

気がつくと正子さんは光る眼で私を見つめ、

「まさかねえ……いくら何でもあのお年で……ねえ？」

と私の答を待っているのでした。正子さんのいうことをよく聞いていなかった私は何を答えればいいのかわからず、仕方なく、

「そうですわねえ……」

うかつにはいえない難しいことであるから、よく考えなければ……といった顔で、伏目になって首をかしげました。

「それに電話代がここんとこ、すごいんですのよ。悟がお友達と長電話をすることがあるものですから昨日も悟に怒ったんですの。そうしたら、おばあちゃまが夜遅く電話かけてるんだっていうんですの。私も主人も朝が早いもので、私たちは早く休むもので知らなかったんですけど……」

どうやら正子さんは静さんの家出の蔭《かげ》に、何者かの存在があるらしいと考えている様子です。しかしその「何者か」とは何者なのか、男か女か、さっぱり見当

がつかないらしいのです。私は訊きました。

「で、静さんのご主人はなんておっしゃってますの？」

「おじいちゃまですか。おじいちゃまはそれは暢気なんですのよ。そのうち帰ってくるさ、ってちっとも心配してませんの。若い時にも気に入らないことがあると、プイと出ていったもんだよって……」

「では今度は何が気に障ったと考えていらっしゃるんでしょう。ご主人は」

「それをねえ、私もおじいちゃまに訊きましたの。そうしたら、そんなことオレにわかるか、って……」

「思い当ることがない？」

「考えもしないんですのよ」

　さすがに息子の秀一さんは心配して、お隣へ行って聞いて来なさいといったそうですが、卓造氏の冷淡さを聞くと、私は自分のことのように面白くない気持が湧《わ》いて来て、今までは時々、批判的に見ていた静さんを急に応援したくなったのでした。

　正子さんが帰った後、私は食事もせずに電話を引き寄せ、ハヤトさんの電話番号を廻しました。ここへかければ必ず静さんの動静がわかると思った通り、電話口に出て来たのは静さんでした。

「あら、勝代さん、今、電話しようと思ってたところ」

静さんの声は明るいとはいえないまでも力強く緊張しています。

「お元気そうね、よかった」

私はひとまずほっとし、それから正子さんが心配して訪ねて来たことを話しました。

「そう？　それでも正子さんは心配してくれてるのね、でも卓造は心配なんかしてないでしょう？」

「ええ、それが……どうもそうらしいのよ」

「そうよ、そんな男よ、あのジジイは」

静さんは捨てばちにいい、

「ほっときゃそのうちに帰ってくる……そういってるにちがいないわ」

「その通りよ」

「そうでしょ。聞かなくてもわかってるの、あのジイサンのことに関しては……」

「それより静さん、心臓の具合、大丈夫なの？」

「これはね、一種の神経症なんですよ、心臓そのものが悪いわけじゃなくて、神経で心臓が痛くなったり動悸《どうき》がしたりするの、病院で検査してもらったらそういわれて、その時に決心したのよ。あのジイサンと一緒にいるのがよくないいんだから、別れようってこと」

「本気なの？」

「本気よ」

そういってから静さんはいい直しました。

「頑張って本気に持って行くつもりよ」

静さんは昨日、病院で診察を受けた後、一旦家へ帰り、身のまわりの物を整理してから夜、正子さんたちが寝室へ引き上げるのを見て家を出たのだそうです。その時、卓造氏はまだ起きていて、机に向っていたので、その背中に向って思いっきり「イーッ」をし、赤ンベエをして部屋を出たとか。

タクシーで真直《まっすぐ》にハヤトさんのマンションへ行くと、ハヤトさんは例の女と電話をかけている真最中で、

「ホントですよゥ、ホント、ホント、ホントですってばァ」

と甘えた声を出していたが、静さんが持っていった肉饅頭をふかすと、それを見て漸《ようや》く電話を切った。静さんは彼にこういったのだそうです。

「ハヤトちゃん！　私、今夜、ここへ泊っちゃう！」

ハヤトさんは別だん、驚いたふうもなく（そこがあの子の面白いところなのよ、と静さんはいいました）、

「いいよ」

と一言いっただけだったといいます。

「私ね、決心してここへ来たのよ」

静さんは私にいいました。

「何の決心か、わかるでしょう？　私ね、私の人生の最後の思い出を作るの」

静さんのその言葉は、静さん自身は予測もしない強い力で私を突き刺したのでした。

人生最後の思い出を、私も作りたい！

私だって夫に裏切られっ放しで、女としての一生を終りたくないのです！

「だって勝代さん、考えたらバカバカしいと思わない？　でもあなたはいい旦那《だんな》さまに恵まれていらしたからまだいいけれど、私なんか、ほんとに、いったい六十年の人生で、心からああ幸福だ、生れて来てよかったと思ったことがあったかしら……いくら考えてもないのよ。ホントにないのよ……人間って苦しいことはすぐに忘れる、だから生きて行けるんだっていうけど、楽しいことも忘れるのかしら？……そう思って一所懸命考えるんだけど、考えてるうちに気分が悪くなっ

てくるんです。思い出すことといったら、リュックサック背負ってお芋を買い出しに行って、駅で没収されたこととか、そんなことだって、夫婦で話し合ってあの頃はたいへんだったねえ、お前にも苦労かけたなあ、とかね、お前のがんばりのおかげで子供たちも一人前に育ったんだ、くらいいってくれればこっちの気持だってちがいますよね。それがうちのジイサンときたら、あの頃のこと、話題にするだけでもイヤアな顔するの。自分が何も出来なかったものだから……ホントにあの男ったら、何かというとオレは教育家だ……のいってんばり。教育家なら教育家らしくヤミ米なんか食べなければいいじゃないの、ねえ？」

静さんのこんなに興奮した声を、私ははじめて聞きました。もうなりふりかまわぬという感じで罵りまくるのも、自立への道に一歩を進めたという自負のためかもしれません。

私は静さんの言葉にまたしても昨日からの口惜しさが蘇って来て、ほんと、ほんと、全くその通り、そうよ、そうよと肯いてしまいました。

「静さん、私だってねえ、昨日から」

と私は一部始終を話そうとしたのですが、静さんは耳も傾けず、次から次へと言葉をおっかぶせて来るのです。

「それでねえ、勝代さん。私ね」

静さんは声を改めていいました。

「ハヤトを、自分のものにする……そう覚悟したの……それで、いったのよ。ハヤトちゃん、アイしてるわ、って……」

その言葉を口にした途端、静さんは身体がカーッと熱くなって、心臓が轟《とどろ》いたそうです。眼なんかもう開けていられなくなって（ハヤトさんの表情を確かめるのが怖くて）、ガタガタ慄えながら、もう引き返せない、もう引き返せない、と自分に向ってくり返し、「清水の舞台から飛び降りるような気持」で、

「ハヤトちゃんに私をあげる」

といったのだそうです。

それを聞いた時、一瞬、私の頭に、「よういうわ」という言葉が走り過ぎたのでしたが、実際に口に出したのは、

「まあ！」

という感歎詞《かんたんし》でした。その私の気持を見透したように静さんは、

「びっくりなさった？　勝代さん」

といいます。私は急いで、

「いいえ……ただ、感心して……えらいなあと……だって、私なんか、とてもそんな勇気ありませんもの」

「そうなの、勇気なのよ！　勝代さん、いいことおっしゃるわ。これは情熱というよりは勇気なのよ！」

静さんはそう叫び、それから静さんはハヤトさんを力いっぱい抱きしめた話をしてくれたのでした。

それも情熱ではなく、勇気だったというのでしょうか。静さんは無我夢中でハヤトさんの顔を両手で挟み、その顔に接吻《せっぷん》の雨を降らせたといいます。それから床にハヤトさんを仰向《あおむ》けにし（ハヤトさんは私も知っているマントルピースの前のカーペットにじかにクッションを枕にして寝転ぶのが好きなので、その時もそういう格好だったらしいのです）、シャツのボタンを一つずつ外して行き、その胸に静かに長いベーゼをした。「ベーゼ」というのは静さんの表現です。

私の愛がハヤトのハートに染み込みますように……そう祈りながらベーゼしたのだそうです。すると愛が染み込んだかどうかまだはっきりわからないうちに、静さんの身体の方が燃え立って来て、手がひとりでに動いてハヤトさんのジーンズのベルトを抜き、ボタンを外して、中のものをとり出してしまったというのです。静さんは潤んだ声でいいました。

「私、あんなに美しいモノを生れてはじめて見ましたわ！　穢《けが》れなきバラの騎士、とでもいいたい趣《おもむき》なの。バラ色でそれはカッコよく、スッキリと立っている――男のペニスがあんなに美しいものだったなんて――口惜しいけど知らなかったわ。何しろ私が今までこれが男のモノだと思いこんでいたモノは、うちのジイサンの、ドブ鼠《ねずみ》の死骸《しがい》みたいなシロモノだけなんですからね！」

静さんは突然ニクニクしげな口調になったと思うと、又、もとの感動的な声に戻っていうのでした。

「私、思わず頰《ほお》ズリしてしまった……そしてねえ、話には聞くけど、長い結婚生活で一度もしたことのなかったことを……気がついたら私、していたのよ……」

――長い結婚生活で一度もしたことのなかったこと……。

私は頭がクラクラしました。それは私だってしたことのなかった〝あのこと〟にちがいありません。私は思わず生ツバを吞《の》むような気持になってしまい、

「それではセックスにまで行ったのね！」

と先を急がせてしまいました。

「セックス？」

私の質問を静さんは不本意そうに反問し、

「いわゆる性交ならしていません」

興を殺《そ》がれたような声で答えました。

「でも、私たちはこれで結ばれた、ハヤトは私のものになったと私は思ってるわ。だって、ハヤトの精液は私の胃の中に納ったんですもの」

私はもう何もいえませんでした。電話を切ると、くたくたになっていました。時計を見るともうとっくに正午を過ぎています。最後に静さんのいった言葉が熱くなった頭の中で廻っていました。

「勝代さんは私を軽蔑《けいべつ》なさるでしょう？　でもいいの、私、倖せなんだから……私ね、愛の喜びと同時に復讐《ふくしゅう》の喜びも得たのよ」

その言葉が、どんなに私を傷つけるものか、静さんは知らない。静さんは私を幸福な妻だったと思いこんでいるのですから。私は昨日の出来ごとを静さんにいう気力を失いました。口に出せないくらい私は惨めでした。私には静さんのように復讐する相手さえ、いないのですから。

それから二、三日経ちました。静さんはハヤトくんと一緒に、京都へ遊びに行ってしまいました。静さんは銀行の定期預金を解約して持って出たのです。私はそのことを正子さんから聞きました。静さんは三人の孫に宛《あ》てて京都から絵葉書を出したということでした。

卓造氏に会ったのは、静さんが家を出て六日目です。桜の散りはじめた小学校脇の道で私はひょっこり卓造氏と会いました。卓造氏は朝の散歩をひとりでしているのでした。

「やあ、お早うございます」

卓造氏は私よりも早く気がついて、五、六メートル向うから声をかけて来ました。

「あらまあお早うございます。もうすっかり、お元気になられたようにお見受けしますけど……血色もとてもおよろしいようですわね」

「そうですか。元気そうに見えますか」

卓造氏は嬉しそうにいうと、ステッキを持っていない方の手で顎《あご》や頬を撫《な》でながら、

「奥さんと一度、お話ししたいと思っていたんですが、これはいいところでお会いしました」

といいます。静さんのことだな、とピンときて、では、お天気もいいようですから、ご一緒にそのへんまで……と私はいったのでした。

ところが、歩きはじめるなりまず卓造氏がいったことは、

「奥さんは東北へいらしたことはおありですかな？」

なのです。

「東北は一度も行ったことありませんの」

あんまり興味がなくて、といおうとしているのに、それを押しのけるように、

「いかがです。ご一緒しませんか。青森はいいですよ」

という。青森と聞いた途端に「あッ、イスキリ！」と頭に閃《ひらめ》いたものですから、咄嗟に、

「奥さまはまだお帰りになりません？」

と話を逸らせたのですが、

「そのうち帰って来るでしょう」

簡単にいって、話はもとに戻ります。

「津軽城の桜は五月三、四日頃がいいといいますから、津軽まで足を伸ばして花見がてら、キリストの墓の取材をしたいと思っているんですがね。奥さんはイスキリについてご関心がおありのようだから、是非お誘いしたいと思ってたんですが」

「はあ……でも……奥さまはどうなさいますの？」

「あれはダメです」

卓造氏は一言のもとにいい切ります。

「あれは知的好奇心が皆無という人間ですからな。いったい何を考えて六十年も生きて来たんだか……あの女の頭の中はどうなっているのか、全く不可解です。

誘っても行かんというに決ってます」

「でも、それじゃあ……」

と私は言葉を濁してみせました。いくらなんでも、奥さんがいる人と二人で出かけるわけには行きません、という言葉を言外に含めたつもりですが、卓造氏は頓着なく、

「あれはこういうに決ってますよ。そんなお伽話《とぎばなし》にかかずらわっているくらいなら、昼寝してた方がマシだとね。そういう奴です」

「でも、どうして黙って出て行かれたんでしょう、奥さまは。ご心配じゃありません？」

卓造氏はひとごとのようにいいました。

「ヒステリイですよ。今はやりの言葉でいうなら欲求不満が溜《たま》ったとでもいうんでしょうが。わたしにいわせると我儘《わがまま》病だ。それ以外に何もありません。自分の我儘を悟るまで、ほっとくんですな」

はなやぎと悲しみ

1

もしも夫の霊が本当にあるのなら、私はその霊に向って仕返しをしてやりたいという気持でいっぱいでした。今になってこんな口惜《くや》しい惨めな思いをするくらいなら、あの頃に何もかもわかっていた方がよかった。私の倖《しあわ》せは、欺瞞《ぎまん》の上に成り立っていた倖せだったのです。

そんな倖せなんかいらなかった！　はっきり、不倖せな妻なのだと思いたかった！

「今更そんなことといったってしようがないじゃないの、過ぎたことをとやかく思い煩うなんて、無駄よ！」

と山藤さんは面倒くさそうに、タバコに火をつけ、煙をはき出しながらいいました。私は電話で話すだけでは足りなくて、山藤さんの家まで押しかけて行ったのです。

山藤さんは横浜の、公園を見下ろすマンションの五階に一人で暮しています。一度も結婚したことがないのに、十畳ほどの寝室にとてつもなく大きなダブルベッドが置いてあります。トイレへ行った時に私はそれを見つけたのでした。寝室と並んだもう一つの部屋も大きくて、ここは書斎と応接間とを兼用しています。山藤さんはそこの長椅子《ながいす》の上に横坐《よこずわ》りになって、ひっきりなしにタバコをふかしながらいうのでした。

「少くともあなたは結婚生活を全うしたんだから、いいじゃないの。ご主人が一心に隠し通したということも、あなたを尊重していたからこそよ。普通の男だったら、どこかでシッポを出してるわ。なぜシッポを出すかというと、女房をナメてるからなのね。あなたは愛されていたのよ。だからこそご主人は、あなたに知られないように心を砕いて」

私は山藤さんの言葉を断ち切るようにいいました。

「それはね、私がお人よしのボンクラだった、ということだわ。シッポを出していたのに、それが見えなかったのよ。主人の妹や姉や、うちの娘まで知っていたことを、私は知らなかったんだもの！　あの男が心を砕いたわけじゃないのよ！」

山藤さんはだんだんエキサイトして行く私をタバコの煙越しに眺めていましたが、

「じゃあ、どうしたいというのよ、カッチンは」

面倒くさそうに訊《き》きました。

「だから……だ・か・ら・よォ……」

私は両手を握り締めて身慄《みぶる》いしました。

「あの男に仕返しをしてやりたいのよッ……」

「だって、相手は死んじゃってるじゃないか」

「だから……だ・か・ら……どうしようもなくて……困ってるんじゃないの！」

そういうとどっと涙が溢《あふ》れて来て、耳の上から金切声が出て来ました。

「ああ、幽霊でもいいから、出て来てほしい！」

「幽霊のクビを絞めるの？」

山藤さんは面白そうにいうのです。

「カッチン、あんた、結構なご身分なのよ。夫に死なれた妻の中には、もうそんな、昔のことといってヒステリイになってる暇なんかない人は沢山いるのよ。生活の心配、老後の心配でいっぱいで」

そんなことは百も承知です。百も承知だけれども、それとこれとは別なのです。

山藤さんのいい方は、癌《がん》で苦しんでいる人もいるのだから、歯イタを我慢しろというようなものじゃありませんか。人がみんな、そんなふうに思えたら、この世の中、何もいうことはないのです。そんなふうな考え方をすることはいいに決っているけれども、出来ない。癌に苦しんでいる人のことをいくら思っても、歯の痛みは止らないのです。それが人間というものではないのか。そんなこともわからないで、通りいっぺんのことしかいわない山藤さんは、だから、二流の小説家に止《とど》まっていなければならないのでしょう。

私は山藤さんに失望し、不機嫌に黙って山藤さんのふかすタバコの煙を睨《にら》んでいました。山藤さんはそんな私の気持をほごそうとするようにいいました。

「何か気晴らしをすれば？　旅行なんか、嫌い？　これからいい季候になるから、旅に出るのも悪くないよ」

私は卓造氏のことを思い出しました。いっそ、彼の誘いにのって、青森まで行ってみようか、という思いが胸をかすめました。

けれど……けれど……卓造氏には悪いけれど、七十二のおじいさんと長旅をして、なんで楽しいことがあるでしょう！

こんなことをいうと、「身のほどを知れ」といわれそうなので、山藤さんにいうのは憚《はばか》られました。そりゃあ私みたいな女——静さんのように「昔美人」でもなければ、特に話題が豊富、気の利いたことがいえる、といった人間でもない、家の中で平凡に六十年生きて来ただけの女、得意なものは惣菜《そうざい》料理と、家計の切りつめと編物。それだけのつまらない女が、何を高望みしているかと、人は嗤《わら》うでしょう。

「お前がいいと思うような男は、向うでご免こうむるよ」と。

それはわかっています。そのことも百も承知です。けれども、大学生の恋人――と呼んでいいかどうかまだよくわからないけれど、とにかく孫のような青年を愛している静さんの、その古亭主を、なんで、私が……。

私は疲れはてて帰って来ました。

その疲れの中には、山藤さんの前で昂奮《こうふん》を曝《さら》け出した後の気落ちと、そうして、寂しい夕闇《ゆうやみ》に包まれているような絶望感が漂っているのでした。

気落ちしたまま、何をする元気もなく、ただぼんやりして数日を過しました。あれ以来、仏壇には花も供えず、線香も立てていません。考えてみれば、今年の七月は夫の七回忌になるのです。七回忌には夫のいた会社の部下の人も何人か招いて、恥かしくない供養をするつもりで、お金の用意もしていたのですが、そのお金をパーッと使ってやろうか！　今まではお金のゆとりが出来ると、いつも娘や息子や孫のためにばかり使っていたのです。今度は自分のために使ってやる！　そう思い決めたものの、さて何に使えばいいのか……いざとなると買いたいものが何もないことに気がつき、するとまたしても新しい怒りと口惜しさが湧《わ》き上ってくるのでした。

静さんから電話がかかって来たのはそんな時でした。静さんは京都から帰って来て、ハヤトくんの部屋にいるのです。

「お帰りなさい。いかがでした？　京都は？　楽しかったでしょう？」

私は礼儀上、努力して愛想のいい声を出しましたが、静さんは低い調子で、

「それがねえ、楽しいのか楽しくないのか、わからないの」

というのでした。

電話では十分に話が出来ないからということになって、私はすぐに支度をして家を出ました。ハヤトくんは大学へ出かけているということなので、私はゆっくりするつもりで、海苔巻《のりまき》を買って行きました。静さんは旅の間中、ハヤトくんの好物につき合っていたために、すっかり胃を悪くしてしまったと聞いたからです。

私たちが会うのは十日ぶりでした。その十日の間に私の方にも、静さんの方にも大変化が起きているのでした。私たちはまるで三年も会わなかった人のようにじっとお互いを見つめ合い、

「お元気でした？」

「あなたも？」

短かく言葉を交しました。私も静さんも感慨がこみ上げて言葉にならないのでした。私はとりあえず正子さんが心配していることと、卓造さんは、心の中はいざ知らず表面は案外心配していないように見えていることなどを報告の形で（青森行きを誘われたことだけは伏せて）、簡単に話しました。

静さんはただ「そう」と気のなさそうに答えただけです。

「そうなのよ、あのジイさんはそういう人間なのよ。女房がいなくなっても、平気な人なの」

勝気にそういい捨てて下唇を噛《か》みます。私は勝手のわかっている食器棚から皿を出して来て海苔巻を並べ、静さんの代りにお茶をいれました。静さんは唇を噛んだまま、じっとテーブルを見つめて肘《ひじ》をついているものですから。

「ハヤトは夜になると、電話をするのよ」

突然、静さんはいいました。

「電話？　誰に？」

「あの女ですよ。名前も年も明かさないで、ハヤトをじらしてる女――」

そういうと静さんは、堰《せき》を切ったように話し出しました。

ハヤトくんは京都の旅先でも、ホテルからその女に電話をかけていたというのです。

「静さんはそれをやめてほしいっておっしゃらなかったの」

私がそう訊くと静さんはテーブルを見つめていた目を上げて、

「いいたいけど、いえないの……」

じっと私を見ました。

「わかってもらえるかしら……いいたいんだけど、いえない……いってはいけない、と思ってしまうこの気持――」

「でも……」

私はいいました。

「いってもいいんじゃないかしら……だってあなたとハヤトくんは、一応……恋人同士といってもいい関係になってるんだから……」

「恋人同士――」

静さんはおうむ返しにいって、考え込みます。私は力づけるようにいいました。

「だって、あなたたちは一緒に旅行して、一つの部屋に休んだ仲でしょう」

「ええ、それはそうだけど……」

「お二人は結ばれたんでしょう？」

「結ばれた……？」

静さんはまるで私に喧嘩《けんか》でも吹っかけるような勢《いきおい》でいいました。

「風俗嬢とお客との関係を、〝結ばれた〟というかしら？……」

「それは……」

といったきり、私には言葉が見つかりません。

「勝代さん、私はハヤトの……風俗嬢なのよ……しかも無料奉仕の」

「そんな……そんな静さん……そんないい方するなんて……」

「だってそうですもの！」

静さんはその言葉で私を傷つけようとするようにくり返すのでした。

「私はハヤトの、風俗嬢なのよ……」

「でも……でも……」

私は必死で言葉を捜しました。なぜかその時、私自身のためにも静さんをいい負かさなければならないような気がしたのです。

「でもハヤトくんは、あなたを必要としてるんでしょう？」

「必要としているか、していないか……そんなこと考えないの。わかっていることは私に、今、ハヤトが必要だってことなの。そんなことしても、ハヤトを自分のものにしておきたいの、だから、私は何でもするんですよ。ハヤトがいやがるかもしれないことは何もしないのよ。だから、あの女に電話をかけても、笑って見てるの。文句をいったりして、ハヤトに敬遠されたり、いやがられたりするのが怖いんですもの……」

聞いているうちに、私は何だか総毛立つような寂しさに襲われ、思わず大声を出してしまいました。

「この前、あなたいってらしたじゃありませんか。愛の喜びと一緒に復讐《ふくしゅう》の喜びも得たのよ、って……」

それは静さんが京都へ行く前、初めてハヤトくんを熱い「ベーゼ」で蔽《おお》ったという日の電話でした。あの日の幸福の熱に浮かされたような静さんはどこへ行ってしまったのでしょう！

「あのねえ、勝代さん、こんなこと、あなただからいうのよ」

静さんは声を落していいました。

「ハヤトはこの頃私のこと、何て呼ぶと思って？　〝おばちゃん〟っていうのよ！」

「…………」

「でも私……怒れないの……だって、考えてもごらんなさい。普通なら〝おばあちゃん〟って呼ばれて当然なんですものねえ……」

今まで、私は静さんを羨《うらや》ましいと思って見ていました。贅沢《ぜいたく》な人だと思っていました。けれども今になってみると、静さんは忍び寄る老年と戦う勇士のように思われます。人は静さんを「年甲斐《としがい》もない」という言葉で嗤うでしょう。けれども私にはひとり、剣を振って孤立無援の戦いを戦う悲壮な騎士のように思えてきたのでした。

私は静さんに対して今までになく、優しい気持になって海苔巻を勧め、お茶をいれ替えて励ましました。私に出来ることといったらそれくらいしかないのです。

「静さん、でもハヤトくんは、あなたを好きなのよ。そうでなかったら、あなたと一緒に京都へ行ったりしないし、あなたがここに住んでることだって、いやがる筈《はず》だわ」

「ハヤトはそれはものぐさなの。『ノウ』というよりも、『イエス』っていう方がらくな人なのよ。だんだん、わかって来たの。カレはのれんみたいな男なの。風がこっちから吹けば向うへ流れるし、向うから吹けばこっちへ来る。自分から何かを求めるってことはないの。ほんのグウタラなの」

「でも最初電話をかけて来たのはハヤトくんの方からでしょう」

「電話だけなのよ、カレが情熱的になることは！」

静さんはいいました。

「けれども、電話だって、ただ面白半分かけるだけ。歌を歌うみたいに、『お会いしたい、お会いしたい』とか、『ああその声、たまんないなあ』とかいってるだけなのよ」

それなら今、ハヤトくんが夢中になっている正体不明の電話の相手のことだって、そう心配することはないようなものだけれど、もし（静さんがしたように）先方がふとその気になって、積極的に出て来たら、水が低い方へ流れるように忽《たちま》ちその方へ行ってしまうことはわかっているのだと静さんはいうのでした。

またなんて、厄介な。そんな頼りない男の何がよくて……と思いましたが、いや、そんな男だからこそ、抵抗なく静さんを受け入れたのだと思い直し、私は憮《ぶ》然《ぜん》とするのでした。

「でも静さん、頑張ってね。私の分も頑張って」

私はくり返しそういうばかりです。でも静さんはいつもの彼女とちがって、元気が出て来ません。

「勝代さん、お化粧をしたまま眠るってこと、どんなにキモチが悪いかおわかりになる。……私、今朝も思ったの、一晩でいい、お化粧を落してゆっくり眠りたい、って」

私は厚化粧の上にすーっと音もなく走った一筋の涙から目を逸《そ》らさずにはいられません。

「普通の人は昼間お化粧して、夜は落すでしょう。私はちがうのよ、ハヤトが学校に出かけると、化粧を落すの。そして帰る頃にまたするの」

ああもう、聞くのも辛《つら》い。やめて、と私はいいたくなります。けれども静さんは溜《たま》りに溜ったものを吐き出してラクになろうとしているかのように、次から次へと告白します。

「女ってねえ、みんな、痩《や》せたい痩せたい、っていつも思ってるでしょう。私もそう思ってたのよ。スッキリ痩せていると洋服が似合うから。けれども、痩せるよりも、肥《ふと》ってる方がいい、という場合があることがわかったの。私たちの年になって痩せてると、腿《もも》の肉なんかたるんでペラペラになってしまう。水の漏れた氷《ひょう》のうみたいに、フナフナに。おっぱいだって、仰向けになるとずるずるーッと両脇に流れてしまうし」

私は息を呑《の》むような思いで返事が出来ません。

「ハリウッドの女優の、何とかってスターは、年をとってから半裸の姿を写すときは、氷で乳房を冷やしてたって読んだことがあるのね。冷やした時はピンとしてるんだけど、撮影中にライトの熱で、だんだん乳房があったまって行くと、ぐなーっとゆるんでくるのね。それでおつきの人が氷を持って立っているんだって……」

静さんはほーっと溜息《ためいき》をついていいました。

「私、そんなおつきの人がほしいくらいだわ」

暫《しばら》くの間私はものがいえませんでしたが、やっと気をとり直し、

「でも、ハヤトくんは、そんなこと……何とも思っていないわよ、きっと」

と下手《へた》な慰めをいうのでした。

「そう、今のところは、カレは何とも思ってないようだけど、でも、そのうちに気がつくわ。若い、ピチピチした女の身体《からだ》を知った時に」

「でも、そんなにものぐさなら、そういう心配もないんじゃないかしら」

とまた下手な慰めしかいえません。すると静さんは、

「わからない――」

怒ったように大きくかぶりをふり、

「あの子は無抵抗主義なんだから……積極的に出て来る女の子がいると、すぐコロリよ」

静さんは涙を拭《ふ》き拭き、

「無抵抗主義だから、私は助かっているのよ。私の身体を見たい、なんて無理じ

いされたら、私、もう……」

静さんはいいました。

「白髪染めを、あそこに使わなければならないもの……」

私は言葉もなくうなだれて、深い同情と歎《なげ》きの気持を表すほか、何も出来ないのでした。

2

私たちは憂鬱《ゆううつ》を抱えたまま、気がつくと初夏を迎えていました。私たちというのは、勿論《もちろん》、私と静さんです。私はやりばのない嫉妬《しっと》に身を灼《や》き、静さんは不安と緊張の毎日に疲れているのでした。それに静さんは夏に向って、着替も必要になって来ているのです。昨日はあんまり暑かったので、ハヤトのシャツを着たら、まるでうどん粉袋のようにハチ切れて、我が姿ながらあまりのみっともなさに慌てて脱いだのよ、と静さんは電話で訴えて来ました。ハヤトくんは身長一メートル七十八で体重は五十六キロだとか。

「それは華奢《きゃしゃ》なのよ」

そういう時の静さんの声は、苦しみの中にいながら、やはり自慢げなのでした。

私のものでよければ、二、三枚、着るものを届けてもよろしいのですが、私がまた貧弱な身体つきで、元来背が低い上に年々瘦せてとても静さんのような豊かな身体つきの人には着られそうもありません。

「そのうちに何とかしなくちゃと思ってるのよ」

といって静さんは電話を切ったのですが、その翌日、私が裏庭に洗濯物を乾《ほ》しているところへ、正子さんが顔を出しました。

「お邪魔します。奥さま、ちょっと、よろしいでしょうか」

正子さんの様子はいつもと違って慌ただしく、声をひそめていいました。

「お義母《かあ》さまが帰って来られたんですけど……」

「えっ！」

「すぐにまた出て行く、夏物を取りに来ただけよ、って……」

正子さんは心配そうに綺麗《きれい》に形づくった眉《まゆ》をひそめました。

「奥さま、義母《はは》は、今……」

といって少し口ごもり、それから思いきったようにいいました。

「家政婦をしているんですって！」

「家政婦？」

「ええ、なんでも青山の方の学生さんのところですって。お金持ちのお医者さんの息子さんで、親にマンションを借りてもらって一人で住んでるんですって……」

静さんもうまい口実を考えたものだと私は感心しながら、

「それで着替を？」

「らくだから当分、そこで働くっておっしゃるんですのよ……」

正子さんはいいました。

「そんなこと、世間に聞えたら主人の恥になりますし、私、どうしたらいいかと思って……主人の銀行に電話をしたんですけれど、支店長会議で本店へ行っているっていうんですの。奥さま何とか、止めていただけません？　私では駄目なんですもの」

「でもご主人は……静さんの」

「おじいちゃまですか。それが、駄目なんですのよ……」

「駄目って？」

「好きにさせとけ、って……それだけなんですのよ」

「怒っていらっしゃるの？」

「心の中はどうでしょうか。ただ、好きにさせておけ、だけ。ああもう、私にはわかりませんわ。あのご夫婦の気持は……」

正子さんはヒステリックに叫び、

「お願いです、奥さまのおっしゃることなら、義母も耳を傾けるんじゃないかと思いますの……お願いします。お願いします。お願いです……」

私の手を引っぱらんばかりにせき立てるのです。仕方なく私は正子さんと一緒に島本家へ行きました。勝手口から入って行くと、静さんは大きなスーツケースと着替を詰めた紙袋を三つも持って、二階から降りて来たところでした。染めた髪に厚化粧。私が見たこともなかった紫色の大きなサングラスをかけているのが、似合っているのかいないのか、もう私にはわかりません。

「あら、勝代さん――」

静さんは正子さんのうろたえようなどどこ吹く風といった、こともなげな調子で私に呼びかけます。

「しばらく」

そういってから、荷物を上《あが》り框《がまち》に置き、冷蔵庫からコーラを出してグラスに注ぎました。

「いかが」

といい、ぐーっと一息に飲み乾します。

「ああおいしい。急いだものだから、のどが渇いて」

にっこりして手の甲で口を拭きました。

「お元気そうで……何より……」

こういう時になると、意気地のない私は他人のことなのに逆上して何といえばいいのかわからなくなります。

「あの、今、正子さんに伺ったんだけど、あのう……家政婦さんをしていらっしゃるんですって？」

「そうなの」

静さんは大きな声できっぱりいい、

「とても楽しいのよ。働いて、自分の力で生きるってことは素晴しいことよ。もっと早く、こうすればよかったと思うくらい。夫に養ってもらう生活なんて、くだらないですよ。こうして自立してみると、よくもまあ四十年以上も、あんなつまらないことをしていたものだと思うわ。ほんとに」

「まあそれは……結構ですわねえ」

当るべからざる勢、とはこういうことをいうのではないでしょうか。

ついそんなことをいってしまったものですから、正子さんは気を揉《も》んで、傍から、

「松本さんの奥さま、久しぶりなんですからどうかごゆっくり……私、ちょっと

買物に出かけてまいります。お昼をご一緒なさって下さいな」

そういって出て行ってしまいました。席を外している間に何とか静さんを説得しておいてほしいということなのでしょう。

正子さんが出て行ってしまうと静さんは、突然、

「ああ、もう！　私！」

吐息と一緒にいいました。

「口惜しい……」

「どうなさったの、静さん」

さっきまであんなに元気だったのに、というつもりで私は静さんを見つめます。

「あのジイサンときたら」

静さんは苦虫を嚙んで吐き出すようにいいました。

「何ていったと思う？　家政婦、結構じゃないか、って……それだけなのよ」

「それだけ？　やめなさいっておっしゃらないの？」

「いうもんですか。元気そうだね、結構だ、まあ、しっかりおやんなさい……」

「まあ……」

私はいいました。

「腹立ちがそんな表現になったんじゃないのかしら。男って、そんなところあるでしょう? ほんとは帰って来てほしいんだけど、それがなかなかいえないのよ。意固地になってらっしゃるんじゃない?」

「そうかしら?」

静さんは少しなごんだ声になりました。

好きなハヤトくんと一緒にいるのですから、引き止められると却《かえ》って困るんでしょうに、やっぱり引き止めてほしいものなんでしょうか。それとも、何のかのいっても静さんの本心は家へ帰りたくなっているのでしょうか。

「ねえ、静さん」

私はいいました。

「もうほどほどにして帰ってらしたら?」

静さんは答えずじっと荒れた手を見ています。今まで炊事は正子さんに委《まか》せて、したことがなかったのです。そのきれいな手が、荒れてカサカサになっています。

「帰っていらっしゃいよ。静さん。一生、ハヤトくんといられるわけじゃなし、楽しい思い出を作れたんだから、もういいじゃありませんか。ご主人だってほんとは寂しいのを我慢していらっしゃるのよ。秀一さんだって、正子さんだって世間の聞えってものがあるでしょうから……殊に正子さんは嫁の立場だから、いろいろ困ることがあると思うのよね」

私としては理路整然と、なかなか上手にいえたと思っています。けれども静さんは手を見つめて黙ったままです。

「それほど、ハヤトくんを……」

アイしているの、という言葉を口にするのが気恥かしくて、私はモゴモゴとごま化しました。

「好きかっておっしゃるの？」

静さんは聞えないほどの小さな声でいいました。

「そりゃあ好きよ……でも……」

「でも？　なんですの？」

「惨めだわ……」

「…………」

「惨めだけど、好きなの。好きだから、惨めなの」

「…………」

「私のこと好き、って訊くとハヤトはいうのよ。好きだよって。訊かなければ何もいわないの。そして、あの……あれをしたい時、こういうのよ。『おばちゃん、しようよ』って……」

私はもう耳を塞《ふさ》ぎたいようですが、それでいて、やっぱり聞きたく、

「毎日？」

といってしまいます。

「はじめの頃は毎日だったけど、この頃はときどきしない日があるわ。しない日が二日つづくと心配になってくるの。もう私のこと、いやになったんじゃないかしらって……何もしないのにスヤスヤ寝てる、その寝息が聞えてくると、心配で目が冴《さ》えて眠れないのよ。それでハヤトを起していうの」

「なんて？」

「ねえ、お願い、って……」

「何をお願いするの？」

静さんは腹立たしげに私を見、ホーッと溜息をついて、

「わからない？」

「勝代さんはいいわねーえ」

心から羨ましそうにいうのでした。

それにしても、何という元気さでしょう。いくら好きだからといって、毎日したいなんて。やっぱり静さんは特別の人です。私なんかもう、愛の泉は涸《か》れてしまって、錆《さ》びついてしまっているような気がしますのに。

「それで？　お願いしたら……」

私は静さんを促さずにはいられません。

「ハヤトくんは？」

「おばちゃん、スキだなあ、って……」

「するの？」

静さんは恥かしそうに肯《うなず》き、

「でも、私、ほんとはアンナこと、好きなわけじゃないのよ。ハヤトとしてホントにいい、と思ったことないのよ。だって、私へのサービス心なんてこれっぽっちもないんですもんね。それに若いでしょ。あっという間なの」

「…………」

「それでも私、それでいいのよ。おわかりになる？　この気持」

わかるようなわからぬような。私と静さんは暫くの間、黙って向き合っていました。

「じゃあ、やっぱり、ハヤトくんの方へいらっしゃるおつもり？」

私が訊くと、静さんは力なく肯いていいました。

「行くところまで行くしかないのよ……それにジイサンがあんなことといった以上、意地でも帰って来られないじゃないの」

「意地のためなの、静さん、それだったら」

といいかけた時、裏口が開いて「ただいま」と正子さんが帰って来ました。

その声を聞くとみるみる静さんの声に力が入り、

「ですからね、私、とにかくがんばるつもりなんですよ。いったん決心したことなんですから、とことん、やりぬきますわ……」

そういう静さんの顔面は突然、何かに腹を立てたかのように紅潮して、鼻孔は開いて慄えているのでした。


やっぱり静さんは強い人です。

私はつくづく感心してしまいました。泣くようにして引き止める正子さんを押しのけて、呼んで来たタクシーに荷物を乗せ、出て行ってしまった静さん。

本当に行きたかったのか。行きたくないのに行かずにはいられなかったのか。

それはハヤトくんへの愛のためなのか、卓造氏への意地か、私にはわかりません。

走り出した車の窓から、手を上げながら私を見た静さんの大きな目は、まるでこれから復讐に行く人のように、怒りと恨みに光っているのでした。

「お義母《かあ》さまは、いったい、何が不服なんでしょう？」

タクシーが見えなくなると正子さんはがっくり力を落して、私に訊きましたが、

私は、

「さあ……」

といういいようがありません。

「ねえ、奥さま、いったい、夫婦って何なんでしょう？　四十年以上も一緒に暮して来て、子供を産み、育て、力を合せて家を建て、貯金をしてここまで来たんじゃありませんか。それがあっという間に、こんなになってしまうなんて……夫婦のキズナってないんでしょうか？」

「さあ……」

こんな時、山藤さんなら、即座に要領のいい返事が出来るだろうに、と思いながら、私はやっぱり「さあ……」としかいいようがないのでした。

家へ帰ると、私はぐったり疲れて縁側の籐椅子《とういす》で眠ってしまいました。他人のことでなにも、そんなに疲れることはないじゃないか、といわれそうですけれど、静さんの心の中を思いやるだけでも、私は疲れてしまうのです。その上にお昼にご馳走《ちそう》になった、何という名前だったか……思い出せない上等のイタリア料理の、オリーブ油が胃に溜って気持悪く、横になっているうちに眠ってしまったのです。

そして私は夢の中で、死んだ夫と道を歩いているのでした。奈良公園のようなところで、鹿がいるのです。夫は道の右を歩いていますが私は少し遅れて左を歩いています。私は夫が声をかけてくれるのをイライラしながら待っているのです。そのため、わざと遅れて反対側を歩いているのです。

「おい、何してる。早くこいよ」

と夫がいうのを待っている。

しかし夫はふり返りもせず私が遅れていることを知っているのかいないのか(知っているくせに、と私は思っている)、どんどん歩いて行くのです……。

そこで目が醒《さ》めました。短かい夢です。けれども私の胸は目に見えない力に抑えつけられているようで、身体全体がすぐには動かないのでした。寂しいというか、情けないというか、口惜しいというか、何ともいえない落ち込んだ気分が、煙のように私を取り巻いています。ぼんやりしているうちに、いつかまた眠ってしまったのでしょうか。夢とも現《うつつ》ともつかず、私の寝ている籐椅子の前に静さんが生き生きした顔で立っていて、これからハヤトと結婚するの、といっているのです。

「まあ、結婚……」

と身体を起した時に、はっきり目が醒めました。眩《まぶ》しいような初夏の午後の日射しが、小さな庭に萌《も》え出たあおきや山吹《やまぶき》やつつじやあじさいの緑を光らせています。気持のいい微風がそよそよと吹いて、静かな美しい午後です。けれどもそこにはいいしれぬ寂寥《せきりよう》が漂っているのでした。私ひとりをとり残して、世間は光り輝きながら廻《まわ》っている——。

ああ、もう、二度と若い日に帰ることは出来ないのです。ひとりぼっちでうす暗い径《みち》をとぼとぼとあの世に向って歩くほかに、私にはもう何もすることがないのです……。

「最後の花を咲かせるのよ！」

といつか静さんがいった言葉が思い出されましたが、私には花を咲かせる自信も気力もないのです。けれど、花を咲かせる自信と気力を持った静さんでさえ、あのように悩んでいるのを目のあたりにすると、またしても寂寥が胸を嚙みます。

気がつくと電話が鳴っていました。もしかしたら静さんでは……と思いながら出ますと、

「松本さん？　どうも、こんちは」

といつものことながらぶっきらぼうな山藤さんなのでした。

「早速だけど、ヨーコ——憶《おぼ》えてるでしょ？　クラスの香野洋子……あの人から電話があってね、あんた、再婚する気ない？」

藪《やぶ》から棒の話に私がまごまごしていますと、山藤さんは性急《せつかち》につづけました。

「ヨーコの兄さんなんだけど、奥さんに死なれて三年目なんだって。年は六十六、

資産はあるらしいのよ。死んだ奥さんがきつかったから、今度はおとなしい人がいいっていうんだって。それであんたがどうだろうってことになったらしいのよ。どう？」

「そんな、いきなり、どうといわれても……」

私がいうと、山藤さんは、

「そりゃそうよね。よく考えた方がいいわ。べつに食うに困ってるわけじゃなし、気らくにやってるんだから、今更、そんなジイサンの機嫌とることもないようなもんだけど。でも六十六っていうけど、昔、テニスのチャンピオンでね、なかなかイカしてる紳士らしいわよ。それに金持ちらしいし。そのうちにヨーコから電話が行くだろうから、もし気持があったらよく聞いてみたら？

私、こんな話するのメンドくさいからいやだっていったんだけど、ヨーコが、もう何年もご無沙汰《ぶさた》してるのに、いきなりこんな話を持って行くのも失礼に当るっていうもんだから……あとは彼女とうまくやってよ。それじゃあ、また」

というだけいうと電話は切れました。

香野洋子さんは私たちのクラスで目立たない、というよりもどちらかというと、劣等生に近い方の人でした。学年末になると必ず担任の先生からお母さんが呼び出されていたものです。それが今は小さいながらも上場会社の社長夫人とか。

香野洋子さんの兄さん——もとの籐椅子に戻ってぼんやり庭を眺めているうちに遠くから記憶が蘇《よみがえ》って来ました。私たちが女学生時代、大学テニスで鳴らしていた香野邦彦……あの人でしょうか。そう思った時、再婚の意志なんか毛頭ありませんのに、何となくみぞおちのあたりがあたたかくなり、私を包んでいた暗い靄《もや》が霽《は》れて行くような気がしたのでした。

3

そうです。私には再婚の意志なんか、これっぽちもありませんでした。死んだ夫を見返してやるために、夫が楽しんだことの倍もバーッと楽しんで、ざまみろ！　といいたい気持はやまやまあります。

けれども、それが再婚とは結びつきません。何かこう、華やかな、フランス映画にでもあるようなロマンチックな恋愛というか、情事というか、そんなものを一度でいい、してみたかった、いやしてみたいとは思いますが、「再婚」なんていうと何だか生活がかかっているようで、惨めったらしいではありませんか。

そんな気持でいる時、香野洋子さん（今は結婚して井上さんといいます）から昔と変らぬガラガラ口調の大阪弁で、クラス会の誘いがかかりました。神戸の女学校を卒業して四十二年、戦争未亡人になった人、引き揚げ途中で一家離散した人、空襲で亡くなった人など気の毒な人が何人かいて、私たちの世代は一番戦争の傷を負っているといってもいいでしょう。

東京へ来ている人で消息のわかっている人は僅《わず》か十人ばかりです。その人たちが久しぶりで集って、還暦祝いのクラス会をしようというのです。

「どうせ、あんたはヒマやから、あんた世話役やりなさいて、山藤さんにいわれて……」

と洋子さんはいいました。女学校時代はヨーコ、カッチンと呼んでいた仲ですけれども、上場会社の社長夫人ともなれば、「洋子さん」といわなければいけないのではないかと、そんなことを考えてしまいます。

「それでね、厚かましいけど、カッチン、あんた、手伝うてくれへん？　山藤さんがいうねんワ、カッチンはヒマやから、カッチンに手伝うてもろたらええって……」

「手伝うのはかまへんけど、どんなことするのん？」

洋子さんのガラガラ調子に、つい私も女学生時代の言葉になりました。

「いつものクラス会やないから……還暦祝いのクラス会やから、ちょっと趣向を凝らしたいんやわ」

「いっぺん、うちへ来てくれへん？　何もないけど、嫁の手料理でも食べがてら」

洋子さんはいいました。

「それをあんたと相談したいんよ」

「趣向って？」

「お嫁さんの？　悪いわ、そんなん。小さい人、いてはるんでしょう？」

「一人いるけど、そんなもんかまへん。いっつも子供ほったらかして出歩いてる人やから、子供は馴《な》れて、ひとりで遊んでるわ」

「そんならお孫さん、一人？」

「うち孫はね、外孫は多いよ。七人くらいいるかしらん。もうこれ以上、作るな、いうてるのん。やれお年玉や、クリスマスや、誕生日や入学祝いや卒業祝いやいうて、もうかなわんのよ……」

洋子さんの声は昔からダミ声というのでしょうか、ガラガラと濁った大声でしたが、それが今はいかにも叩《たた》き上げの社長夫人という生活感を滲《にじ》ませています。

「そんでねえ、あ、そうそう。肝腎の話が後になってしもたけど、カッチン、山藤さんから聞いてくれたでしょ？　うちの兄貴のこと……」

「え？」

反射的にトボけたのは、電話が洋子さんからだとわかった時に、「もしや……」という期待感のようなものが、(再婚する気など毛頭ないにもかかわらず) 働いたからで、その期待感が私をして反射的にトボけさせたのだと思います。

「まだ聞いてない？　山藤さんに頼んどいたことがあるんやけど……」

トボけつづけようか、どうしようかと迷っていますと、洋子さんが、

「兄貴のことなんよ」

とつづけたので、これ以上トボけては却って心中を見透される心配があると思い、

「ああ、あのこと……」

といって、

「フフ」

と笑いました。この笑いは照れ隠しというよりは、「あの話を私はそれほど真剣に受け止めてはいないんですよ」という気持を表現しようとした「フフ」のつもりでしたが、後から考えると、洋子さんはそれを「なまめいた気持」からの「フフ」だと思ったかもしれません。

「ねえ、そのうち、一度会ってやってよ。ね？　ええでしょう？」

洋子さんが押して来るのに対して、私は笑い声で答えながら、

「けどねえ……今更、この年になって再婚やなんて……もうメンドくさいわ」

「メンドくさいいうキモチはようわかるけど、その一方にやっぱり寂しいというキモチもあるでしょ？　ご飯かて、一人で食べるより二人で食べる方がおいしいし、料理をするのも掃除をするのも、一人やとせいがないでしょう？　やっぱり人間、一人でいるより二人で暮した方がええのんよ……」

「うん、まあ、そういえばそういうもんかもしれんけど……けど……」

私のはっきりしない返事に面倒くさくなったのか、洋子さんは、

「ともかく、いっぺん来てちょうだいよ。その時にまた、いろいろ話しましょ」

といい、私たちは日にちを約束して電話を切ったのでした。

再婚なんか……と思いながらも、そういう話を勧められるのは悪い気持ではありません。

大学時代のテニスのチャンピオン。

金持ち。

なかなかイカしてる紳士――。

山藤さんは簡単にそういっただけでしたが、その三つのことが、ずーっと私の頭の中にたゆとうていて、いつか私はロマンスグレイの長身に、絹の部屋着をま

とってパイプをくゆらしている邦彦さん（と名前もはっきり憶えている）の書斎へ、コーヒーを運んで行っている自分の姿を思い描いたりしているのです。

金持ちらしい、とだけ聞いたけれど、職業は何なのかしら？　金利で悠々と食べているのかしら？

でもいくらお金があっても、男が何もせずに遊んで暮しているというのはよくない、早く老け込むわ、などと、ふと気がつくと私は再婚する気もない人のことをあれこれ心配しているのでした。

洋子さんの家へ行ったのは、梅雨のような雨が降りつづいた三日目です。五年前に息子の武和さんに子供が生れることになったときに、子供のためには庭のある家がいいということになって、それまで別居だったのが一緒に住むことにし、それまでの家を売って上野毛《かみのげ》に土地を買って新築したという、雨に濡《ぬ》れた新緑に目を洗われるような、高台の、まるでホワイトチョコレートで作ったような、とても瀟洒《しようしや》な家です。

「とにかくね、あのヨーコが社長夫人になって幅利かしてるんだからね、学校の成績みたいなもん、世間に出たら何の足しにもならんのよ」

といつか山藤さんがいった言葉を思い出しながら、私は雨に濡れた御影石《みかげいし》の段を上りました。チャイムを押す間もなく、玄関の大きなガラス扉が開いて洋子さ

んが顔を出し、

「わァ、しばらくゥ……よう来てくれはったわねえ……」

ガラガラ声の、耳の中にガーンとくるような大声で歓迎してくれました。私は土産のさくらんぼの箱を渡し（何しろ相手は社長夫人だからと思ってはりこんだのです）、

「まあ、立派なお住居《すまい》やわねえ……」

とあたりを見廻して感歎《かんたん》を表現しました。

「金はかけてることはかけてるよ。けど、趣味がもうひとつね」

と山藤さんがいったことを思い出しながら。

応接間は三十畳近くもあるでしょうか。白いグランドピアノがあり、その傍で大理石の女の裸像が腰をくねらせています。

応接セットは本革で、上等のカーペットは雲の上を歩くようだといってもいい過ぎではないくらいです。

昔、色が黒くてやたらに手足の大きい大女だった洋子さんは、それなりに貫禄《かんろく》がついて、これだけのボリュームがあれば外人のパーティなんかに出ても決して見劣りはするまいと思われます。女は器量というけれど、やはりこの年になると器量なんかものの数ではない、貫禄がものをいいます。私はすっかり気圧《けお》されて、

洋子さんの品のない大阪弁までが、何だかエライ証拠のように思えてくるのでした。

洋子さんと私はクラス会の会場やその日の趣向について相談しました。料理は日本料理がいいか、フランス料理がいいか、中華料理がいいか。中華料理は一番安上りかもしれないけれど、もうこの年になるとあんまり脂《あぶら》っこいものは有難くないし、フランス料理はボーイがまわりでウロウロしてるので緊張する（そんなもの、ボーイがウロウロするからって、なにも緊張することなんかない、と洋子さんはいいましたけれど）、結局日本料理が一番いいけれど、少し名のある料亭だとどうしても高くついてしまう——。

あれがよければこれが悪い、ああでもない、こうでもない、と二人でいい合っているところへ、洋子さんとはうって変ったほっそりと清楚《せいそ》なおヨメさんがにこにこと挨拶《あいさつ》に出て来て、

「ようこそいらして下さいました。あいにくのお天気で……駅から大分ありますから、お濡れになったんじゃございません？　お迎えに出ればようございましたわねえ」

こちらは綺麗な東京弁です。さすが、大社長の家のおヨメさんは物腰の優雅なこと、上品なこと、うちの息子のヨメとは段チガイだと、私はすっかり感心して

しまいました。

けれども洋子さんはおヨメさんが下って行くと、待っていたように、

「あのヨメ、上品ぶってからに気どりやで、したり顔で……どうも私、気が合わへんのよ」

と大声で悪口をいうのです。小さな家に住み馴れて来た私は、その声が聞えはしないかとハラハラしましたが、考えてみればあのような大邸宅ではどんな大声も聞えないように出来ているのかもしれません。

暫くするとまた澄子さん（それがおヨメさんの名前です）が現れて、

「あちらにお支度をいたしましたから、何もございませんが、どうぞ」

といいます。あちらというのは広い庭に面したお座敷です。床の間にざくろが活《い》けてあり、軸は前衛書道の大家らしい書（何を書いてあるのか、私には読めませんが）が懸《かか》っています。

「山懸崖村先生でございますわ」

私がそれを見ているのに気がついたか、澄子さんはすぐさま説明してくれました。が、「山懸崖村先生」という人がどういう人なのか私にはわかりませんので、

「はーあ、なるほどねえ……」

とでもいうしかないのでした。そんな私を見て、

「カッチン、そんなにかしこまらんとらくにしてよ、らくに」

と洋子さんはいい、

「お酒、何がええ？　日本酒？　ウイスキー？　ビール？」

と訊きます。主人のいた頃から、お酒など口にしたことのない私です。

「そんな……お酒なんて……私……」

「飲まへんの？」

「飲んだことないもの」

「そう？　そんなら、澄子さん、一本だけつけてちょうだい」

洋子さんがそういった時です。廊下に強い足音がしたと思ったら、

「やあ」

いきなりヌウッと入って来た男の人がいます。

「あら……ご主人？」

私が洋子さんに訊くのと同時に、洋子さんがいいました。

「なんや、誰かと思うたら兄さん……いきなり、何やのん」

「兄さん」という一言に私は耳を殴られたよう。

「あっ！　この人が！」

と思った途端にカーッと頭に血が上り、まず思ったことは、雨に濡れて剝《は》げ落

ちたにちがいない化粧のことでした。

そんな次第で、故意か偶然かわかりませんが、私は邦彦氏と見合のようなことをしてしまいました。

邦彦氏ってどんな人？　と、もし誰かに訊かれたら、私は何といって答えるだろう？　と、その夜、いつまでも寝つかれぬまま私は考えました。

一口にいって、邦彦氏は「若々しい人」です。身体つきも、昔テニスをやっていただけあって、スッと背筋が伸びていて、贅肉もついていません。この頃はゴルフに凝っているとかで、ゴルフ焼けした顔はまるで五十七、八といっても通りそうです。大きな鼻やがっしりした顎《あご》の線は洋子さんにそっくりで、洋子さんは少しも美人じゃないけれど、その顔を男にすると男らしい精悍《せいかん》なハンサムになることを私は発見したのでした。

「兄さん、こちらがカッチンよ。松本勝代さん——女学生時代のクラスメイト」

と洋子さんが紹介したのに対して、

「やあ、よろしく」

といっただけで、ずかずかと座敷を横切って広縁に置かれた椅子に腰をかけ、

「よう降るなあ……」

と庭を眺めます。

「今日もゴルフへ行くつもりが行けへんようになったから、それでうちへ来はったん？」

これは故意ではない、偶然やよ、といわんばかりに洋子さんは、いうのでしたが、邦彦氏はこともなげに、

「うまいもんがあるから来いいうて、澄ちゃんが電話くれたんや。何をご馳走《ちそう》してくれるんや？」

といったところをみると、この見合は洋子さんがひとりで画策したもので、邦彦氏は何も知らずに来たものらしいのでした。

食事をしながら、洋子さんがそれとなく説明してくれたところによると、邦彦氏は三年前に奥さんに死なれたので、それまで住んでいた家を処分して、自由が丘にマンションを買って一人暮しをしている。大阪のスポーツ新聞に二十年勤めた後、やめて上京し、今はスポーツ用品店を都心に二軒持っている。

「兄さんみたいな人、商売はあかんかと思てたけど、案外、やってるわねえ」

と洋子さんがいうと、

「うん、なんでか、やれてるなあ……」

ひとごとのようにいい、

「うちはブレーンがしっかりしてるからなあ、大将は何もせんかてええ、遊んで下さい、いいよるんや。どうもその方がええらしい」

笑いもせずにいうところ、どこまでが本音でどこまでが冗談なのかわかりません。

「ね？　カッチン、けったいな人でしょ？　この人……」

と洋子さんがいうのに、

「けったい？　どこがけったいなんや。お前のとこの亭主の方がよっぽどけったいやで。お前みたいな女房持って、浮気もせんと有難がってるのやからな」

ととぼける。

そんなひと時を楽しくなかった、といったら嘘《うそ》になります。久しぶりにイキのいい男性の息吹に触れた――ほんとうに新鮮な感覚でした。引っこみ思案でいつまでも人馴れしない私もついリラックスして、

「あら、浮気しない旦那《だんな》さんって、けったいなんですか？」

といったりしたのです。

「そうですな、あんまりノーマルとはいえませんな。男として」

「そういうご自分は浮気しなさいました？」

「そらしましたよ。とにかくこわい女房でしたから」

「こわい奥さんだったら、出来ないんじゃありませんの？」

「それがするんですな。あんまりこわいからヤケクソでするんです。してもせんでも叱《しか》られるのならした方がトクや……そんな理窟《りくつ》です」

「それで奥さんにバレました？」

「すぐにバレました。鍋《なべ》で叩かれました」

「バレないように努力なさいました？」

「しません……と、いうたら嘘になるかなあ……つまり、してるつもりなんですが、なぜかバレるんですな」

「まあ……」

「ところが面白いもんで、女房が死ぬと、もうする気がなくなりました……」

「それはどういうことですの？」

「さあ？　どういうんですかなあ……つまり浮気もスポーツと同じでね、スリルがないとつまらんのですなあ……」

邦彦氏と交したそんな会話を、その後何度となく私は思い出します。

邦彦氏の浮気がスリルを求めてのものだったとしたら、夫のそれは何だったのでしょう？　もし私の方が先に死に、夫が生き残っていたとしたら、今頃、夫は何といっているでしょう？

スリルがないとつまらんのです、といっているでしょうか。それとも、いやもう、悟らせないために細心の注意を払いました、といっているでしょうか。欺《だま》しおおせた夫が立派か。死ぬまで隠しつづけた夫こそ、妻をナメた仕打ちをしたともいえるし、隠しおおそうとしなかった邦彦氏こそ、妻に対して薄情だったともいえるし、考えるとわからなくなってしまいます。

私は久しぶりで仏壇の前に坐り、線香を立て、鉦《かね》を鳴らして手を合せました。

「お父さん、私、見合をしたんですよ」

と私はいいました。

「とてもステキな方でした。正直で、無邪気で、無垢《むく》で、朗らかで、豪放で、洒落《しゃれ》っけがあって、面白くて、お金持ちで、ハンサムで……」

そして邦彦氏の欠点は何だろうと考えたのですが、私の頭には何も浮かんで来ないのでした。

両手に花

1

私は静さんに電話をかけたくなりました。夫の死後、夫の残してくれた幾ばくかの預金と株券の配当などでつましく生活している私は、電話ひとつでも無駄な電話はしないように心がけ、地味に質素に暮しているのです。そんな私なのに、降りつづいた雨が久しぶりに晴れて、雨雲の拭《ぬぐ》い去られた空に初夏の日射しが漲《みなぎ》っているのを見ているうちに、急に静さんと話をしたくてたまらなくなって来たのでした。

といっても、静さんのその後の様子を訊《き》きたいからではないのです。私はあのこと――邦彦さんの話をしたくてたまらないのでした。私はハヤトくんが学校へ行っている時間をみはからってダイヤルを廻《まわ》しました。

「もしもし、静さん？　その後お元気？」

私はいいました。

「どうしていらっしゃるかと思って、お電話してみたんだけど……」

若い娘のように、いきなり、「私、見合したのよう」、というわけにはいきません。とりあえずそういい、静さんが「あなたの方はいかが？」といってくれるのを待ちます。

「ありがとう。私も丁度、お電話したいと思ってたところなのよ」

静さんはいいました。とても元気な声です。

「お元気らしいわね」

「そう？　元気そうに聞えます？」

静さんは訊き返してから、少し声を小さくして、

「ハヤトが病気なの」

といいました。

「病気？　どこがお悪いの？」

「風邪がおなかに来たらしいんだけど、長引いてるのよ。熱は昼間はたいしたことないんだけど、夜になると三十八度くらいに上るんですよ」

「じゃあ、今、学校じゃないのね」

「そう、ベッドよ。とっても世話がやけるの、甘えんぼうだから……フフ」

機嫌よく含み笑いをします。

「まるで幼稚園の子供と同じなの。いや、子供の方が叱《しか》ればおとなしくなるから、まだいいんじゃないかしら……叱ったって何したってムリばっかりいって……食べちゃいけないものを食べたがるし、お風呂には入りたがるし」

そこまでいってから、あ、ちょっと待って、といって引っこんだと思うと、

「なあに？　ダメ、ダメ、いい子だから、そんなことといわないの……い・け・ま・せ・ん・めッ！」

そんな声が聞えて来た後、笑いを含んだ艶《つや》やかな声が、

「ごめんなさい、お待たせして……」

と出て来ました。私は何だか面白くなく、

「お忙しいんじゃないの？」

わざと今のイチャツキが聞えなかったようにいいました。

「ううん、忙しくなんかないの、ヤンチャをいうのよ、ク、ク」

と笑います。

「ごめんなさい。べつに用があっておかけしたわけじゃないから、失礼するわ。お元気なようだから安心しました」

そういったのは、これ以上ハヤトのヤンチャとやらをノロケまじりに聞かされ

るのは沢山、という気持が起ったからです。

勝代さんはいいわねーえ、と私を羨《うらや》んで溜息《ためいき》をついたのは、ついこの間ではありませんか。

惨めだわ……惨めだけど好きなの、好きだから惨めなの、といい、ハヤトくんが求めて来ない夜は心配で眠れないといったあの静さんが今はすっかり満ち足りて倖《しあわ》せイッパイではしゃいでいる——。私はイマイマしい気持で、

「この前はあんまり元気がないので心配だったけど……今日はお倖せそうで結構でした……」

皮肉にいってやりました。しかし静さんは私の皮肉など蚊に螫《さ》されたほどにも感じないで明るい笑い声を上げ、

「ずーっと病気でいればいいと思うほどよ」

といいました。

「カレ私がいないとどうにもならないのよ、フフフ」

友達が倖せそうにしているのは結構なことですのに、なぜか私はその「フフフ……」が気に障って、

「看病人としては完璧《かんぺき》なのねえ」

——女としてはどうかわからないけれども……という意味を籠《こ》めて皮肉ってし

まったのでした。けれども静さんは少しも気にせず、

「ええ、でも私、それでもいいのよ。カレが必要としてくれるのなら……どんな形でも」

といい、

「それにね、夜になると熱が出るものだから、例のカノジョに電話もかけなくなってるし……フフフ……」

今度の「フフフ……」は私も胸を打たれたのでした。静さんは気が強くて勝手者だけれど、素直で正直な人なんだなあ、と今更のように思うのでした。

私は手短かに、邦彦氏の話をしました。

「再婚する気なんか私には毛頭ないんですよ、でも、ステキな方なの……」

「まあ！　ステキ！　勝代さんがステキっておっしゃるんだから、どんなにかステキなんでしょうね！　その方……」

静さんはまるで自分のことのように興奮して、たてつづけに年や職業や身長などを訊くのです。

「で？　ハンサムなのね？　勿論《もちろん》ね？」

「スポーツマンだから、若々しいのよ。身体《からだ》も引き締ってるし、磊落《らいらく》で、とっても愉快な方……」

「じゃあ、気に入ったのね？　勝代さん……」

そうはっきり迫られると、私は口ごもってしまいます。

「気に入ったなんて……そんな……ただ、ステキな紳士だと思うだけですわ。だからといって結婚しようなんて……そんなキモチとはちがうのよ」

「どうして？」

静さんはふしぎそうにいいました。

「そんなにステキな方なら、結婚なさればいいじゃないの？」

私が答えきれずにいると、静さんは性急にかぶせて来ました。

「結婚するのが億劫《おっくう》なら、恋愛でいいじゃないの……そうだわ、恋人でいい、その方がいいわ、ねえ、そうなさい。気らくな関係でお互いに楽しめば、それが一番よ」

電話を切った後、いつまでも静さんの言葉が耳に残っていました。

——気らくな関係でお互いに楽しむ……。

アメリカ映画かフランス映画にそんな話があったような気がします。初老の男女のしゃれた関係——。二人とも家族がいるわけじゃないのに結婚をしないで恋人同士でいる。なぜなら男は束縛されるのを嫌う芸術家で、女は仕事を持っていて始終、ニューヨークやパリやローマを飛んで歩いている人だからです。二人はクリスマスの夜を一緒に過したり、夏のバカンスを楽しんだりします。そのうちに二人の間に小悪魔が登場する。若いピチピチしたおきゃんな娘です。娘は男に積極的に迫る。男はつい、その気になる……。

その三角関係がどうなったか、よく憶《おぼ》えていませんが、初老の二人の美しく幸福そうだったシーンだけがはっきり思い出されて来て、そしていつか、私はその映画の二人に邦彦氏と私とを重ね合せたりしているのでした。

私は洋子さんと渋谷のふく亭というレストランで会いました。ふく亭はクラス会の候補会場として挙げられた店で（それは邦彦氏の紹介です）、二人で一度、下調べを兼ねて食べに行ってみようと洋子さんがいい出したのでした。

ふく亭へ行く途中で私はデパートに寄り、この間、ご馳走《ちそう》になったことのお礼にチョコレートの小箱を買いました。それから二、三の買物をして帰ろうとすると、化粧品売場で売子の娘さんに呼び止められました。Kメーカーでは新製品を売り出しているところらしく、私はその女店員に殆《ほとん》ど無理やりのように小椅子《こいす》に坐《すわ》らされ、皺《しわ》とりクリームの効能を聞かされる羽目になってしまったのでした。

「失礼ですが、奥さま、朝晩、たった五分のお時間をお顔のためにお割《さ》きいただきましたら、それは見違えるようなお肌になられると思います……。失礼でございますけど、すこうしお肌がお疲れになっていらっしゃるようでございますわ。どんなふうにお手入なさっておられますんでしょうか……」

「いいえ、手入といってもべつに……石鹸《せっけん》で顔を洗ったあと、化粧水をつけて休むだけで……」

「あらァ、奥さま、それだけでは……失礼でございますけど、お若い頃とはもうお肌が変って来ておりますのですから……お肌のための、お年相応の、よりよいお手入をなさいませんと……」

「はあ、そうでしょうか……」

気の弱い私はこんなふうに熱心にいわれると、どうふり切って帰ればいいのかわからなくなるのがいつものことなのです。が、その時、ふと頭をよぎったのが、「私って、そんなに肌が汚いのかしら……」という今更の驚きでした。昔からあまりおしゃれには関心のない方で、静さんの厚化粧を見ては、ただキモをつぶしたり感心したりしているばかりなのでしたが、「失礼でございますけど、お若い頃とはもうお肌が変って来ております」とか「年相応の、よりよいお手入を」という言葉を聞くと、俄《にわ》かに、なりふりかまわず老い衰えて行くに委《まか》せていたことに気がついたのでした。

そしてそれに気がつくのと殆ど同時に、突然、なぜか邦彦氏のことが閃《ひらめ》いたのでした。

「奥さま、よろしゅうございますか。ちょっと失礼」

私がぐずぐずと化粧品を手に取って眺めているのを見て、女店員はそういうと、いきなり顔にべったり、クリームのようなものを塗りつけ、マッサージが始まりました。

マッサージなどされては、いやでも化粧品を買わされるだろう……そう思いながら、拒まずにじっと顔を委せていたのは、今から思うと、もしかしたらふく亭へ、ひょっこり邦彦氏が現れるかもしれない、という思いがあったからです。

私の顔には次から次へと色々なものが塗りつけられ、やがて、

「はい、お待ちどおさまでした。まあ、おきれいですわア……」

という言葉と一緒に手鏡をさしつけられました。

「まあ！」

といったまま、私は何もいえません。きれいなのか、ヘンなのか、私にはわからないのです。何だか全体に白く腫《は》れたような顔になっています。頬骨《ほおぼね》のところだけ、へんに赤く、瞼《まぶた》にはうすす青い色がついているのです。顔はこわばってお面でもかぶったよう。

いつの間にか私のまわりをとり巻いている見物人の間を逃げるようにかき分け、

買いたくもないのに買ってしまった化粧品の包みを持って化粧室に駆け込みました。折角してもらった化粧だけれども、自分の顔でないようで恥かしく、ハンカチを出して拭《ふ》きました。少し拭いて惜しくなり、拭くのをやめて改めて鏡の顔を眺めているうちに、化粧をしている方がきれいに見えるような気がして来ました。私には見馴《みな》れないぎごちない顔でも、他人にはその方が美しく見えるのかもしれない……私はそう思い決めるとそのまま化粧室を出たのでした。

ふく亭へ行くと洋子さんはもう来ていました。

「お待たせして、ごめん。ちょっと買物してたもんやから……」

といって私はこの間のお礼のチョコレートをさし出します。洋子さんはへたに遠慮をしないで「あら、そう？　ありがとう」とあっさり受け取るのが、ものを貰《もら》い馴れている社長夫人の貫禄《かんろく》というものでしょうか。メニューを眺めて料理を注文すると、いきなり、

「どう？　うちの兄貴？」

といいます。期待していたのにいきなりそういわれるとドギマギして、

「どうって……ステキな方やないの……」

といっただけで、どういうわけか胸が轟《とどろ》くのです。

「気に入った？」

洋子さんは単刀直入です。

「そりゃあ……ステキな方やもの……」

ステキ、ステキをくり返すのも能がないと思いながら、ほかに何のいい方も浮かんで来ません。それよりも、邦彦氏の方こそ私のことをどう思っておられるのか知りたいのですが、洋子さんは、

「あのひと、変ってるでしょ？　どこまでが本気で、どこから冗談かわからへんの、いつもああよ」

というだけです。

「けど悪い人間やないから、あの気質を呑《の》み込んでもろたら案外やり易いのよ……」

そういってワインを一口飲み、

「あ、コクがないなあ……上品すぎるわ」

とボーイにいう。

「ではお取り替えいたしましょうか？」

「いい、いい。勿体《もったい》ないもの。取り替えてもろても、タダというわけやなし……」

と傍若無人にいうところは、カネモチの自信というものでしょうか。それとも生来の荒っぽさのためなのか、私にはわかりません。第一、私にはワインの味もうまいかまずいかわからないのです。

洋子さんはワインを飲み、アボカドとサーモンの前菜を食べながら、いいました。

「そんなら、カッチン、この話、進めてもいい？」

私はカッと頭に血が上り、

「そんなこと、いきなりいわれても……」

口ごもってアボカドを呑み込みます。

「いっぺんお会いしたぐらいで、そんなこと……」

「そらそうやわ。これからおつきあいしてもらうわけやけど、つまり、話を進めるということはそういうことよ」

「はあ、それは……おつきあいだけするのなら……」

「そう？　ありがとう。嬉《うれ》しいわア、カッチンが兄貴の奥さんになってくれたら、私、ほんまに嬉しいのよ……」

洋子さんは心から嬉しそうにいうと、

「乾杯」

といってグラスを上げます。

「はい、乾杯」

私は不器用にいい、慌ててナイフを置くとグラスを上げて洋子さんと一緒にワインを飲んだのでした。

邦彦氏についての話はそれだけで、その後、話題はクラス会の趣向についての相談になりました。開会の挨拶《あいさつ》は洋子さんがすること、進行係は私がする、山藤さんに還暦を迎えての祝賀スピーチをしてもらうこと、その依頼を私がすること、誰か歌を歌う人を捜すこと、最後に皆で校歌を合唱すること、記念写真を撮ること、記念品を買うこと、その品物は何がいいか、会費はいくらにするか、経済的に余裕のある人ばかりいるとは限らないから、この金額を決めるのは難しい、私たち二人だけじゃなく、少くともあと二、三人の人に集ってもらって相談した方がいい、などということも話して食事は終りました。

邦彦氏はとうとう現れませんでした（といっても、別に最初から来ると決っていたわけではなかったのですが）。

別れ際に洋子さんは、

「そんならまた、そのうちに」

といって会釈をしたのですが、

「そのうちに」というのは、クラス会の相談を指しているのか、邦彦氏のことを指しているのかよくわからないのでした。

邦彦氏は私のことをどう思っているのでしょう？　洋子さんは邦彦氏の意向を汲《く》んで話を進めようとしているのでしょうか。私は洋子さんのいい方をもの足りなく思います。邦彦氏が私についてどんな感想を洩《も》らしたかくらいはいってくれてもよさそうなのに。けれどもそれを何もいわなかったということは、彼が私に何の関心も示さなかったということなのでしょうか。それとも、もともと大ざっぱなアタマの洋子さんは、私の気持をたしかめることにばかり一所懸命になって、邦彦氏の意向を私にいうのを忘れたのでしょうか。

それとも、あの洋子さんのことですから当事者の気持なんか、話を強引に持って行けば何とかなってしまう、と思っているのかもしれません。

そんなことを思い煩って昨日は眠れぬままに早起きをしました。起きたもののすることもないので表を掃いていますと、

「やあ、ご精が出ますなあ、お早いですな」

と朝靄《あさもや》の中から声がしました。見るとステッキを突いた卓造氏です。

「あら、お早うございます。ずいぶんお早くていらっしゃいますのねえ」

「いやあ、年をとると早起きになりましてな」

久しぶりで見る卓造氏は痩《や》せも衰えもせず、奥さんがいなくなったからといって別にじじむさくなった様子もなく、洗ったばかりのようなツヤツヤした顔でにこにこしています。

「この間から一、二度お訪ねしているのですが、お留守のようでした」

「まあ、そうですか。それは申しわけございませんでした。で、何か？」

「いや、急ぎの用というわけではないのですが、少々ご相談したいことがありましてな」

「はい？」

「ここでは何ですが、実は家内のことで」

「はい、はあ……さようで……」

私はうろたえ、

「では……あの……お上りになりますか？」

まるで自分がこれから詰問されるようにドキドキしたのでした。

2

玄関脇の応接間に人を招じることは本当に久しぶりでした。応接間というものは主人がいるからこそ必要な部屋であって、六十女の一人暮しでは全く役に立たない部屋です。この前、ここへ人を招じ入れたのはいつだったでしょう。私ひとりの生活ではたいていは茶の間か、玄関先か、台所で用が足りてしまうようなお客ばかりです。今更のようにそんなことを思いながら、私は久しぶりにカーテンを開けた応接間で、卓造氏と向き合ったのでした。

「実は、ご相談といいますのは」

と卓造氏は沈んだ声でいいました。面長のいかつい顔は木彫の人形のような茶褐色で、その堅い表情からはどんな感情も読み取れません。私のさし出した煎茶《せんちゃ》を一口飲むと、大きな乾いた手のひらで口のあたりをひとなでしてからいいました。

「家内とこの際、離婚しようと思うんですが」

「えっ！」

そう叫んだまま、私はただまじまじと卓造氏を見るばかりです。卓造氏はてっきり、静さんの動静について問い質《ただ》しに来たものと思っていたのですから。

「り、離婚って……あの、離婚でございますか？」

我ながらくだらない質問をしたものだと思いますが、それほど私はびっくりしてしまったのでした。

「そうです、あの離婚です」

卓造氏はそんな私の意味をなさない反問を、べつにおかしいと思ったふうもなく、

「そういう気運になって来ておるんです」

重苦しくいいました。

「奥さん、わたしは静が何を考えているのか、さっぱりわからんのです。いったいあの女は何が不満なんでしょうな。あの女は妻という立場をどう考えているのか。夫婦というものをどう考えているのか。女性の立場から奥さんは静をどう思われますか？」

「はあ……どうといわれても……私なんぞ……」

と私は言葉を濁すのがせい一杯。卓造氏の昔はきっと怖い校長先生だったにちがいないいかつい顔が、感情を抑えかねたように赧《あか》らんでくるのを見ると、気持が縮んで何もいえません。

「奥さんは控え目な方だ。こんな時代になっても日本婦人の美徳を損なわずに保ちつづけておられる稀有《けう》な方です。それにひきかえ、静はいつからあんなふうになったのか、年をとるに従って自己主張の強い、不満だらけの女になって来ました。あの女でも子供の育ち盛りには一所懸命、苦しい世帯を切りもりしてくれた

ものでしたが……」

　卓造氏は昔を偲《しの》ぶように視線を窓の方に上げて言葉を切りました。ということはここで私が何か言葉を挟むのを待っているのでしょう。仕方なく私はいいました。

「でも、立派な奥さまですわ。しっかりしていらっしゃるし、私なんかとちがってアタマがおよろしいし、お綺麗《きれい》ですし……」

　そんな言葉は答にならないことはわかっています。けれどだからといって、この場で何をどういえばいいのでしょう！

　卓造氏はいいました。

「人間の倖せというものを、奥さん、どうお考えですかな？」

「いきなりそんなむつかしいことをいわれても、私にはわかりませんわ。倖せとか生甲斐《いきがい》とか、生れて六十年、考えたこともなく生きて来たバカ者でございますもの、私は」

　困りながらそういうと、卓造氏はハタと膝《ひざ》を叩《たた》いて、

「素晴しい！　実に素晴しい答です！」

　と叫ぶ。

「ああ、何といううるわしい言葉を聞くものかな！」

そういうと垂れた瞼の下から急に大きくなった目が私を見つめ、

「――バカ者でございますもの、私は……何十年ぶりでしょうな。こういう女らしい、謙虚な言葉に出会うのは……」

感激にたえぬというように首をふるのでした。

「人間の倖せというものは、年老いてからの生き方で決るものです。若い頃――血気さかんな頃はやれ幸福だ不幸だといったって、たいしたものじゃありませんよ。幸福だと思ってもそのうちいつか消えて行く幸福だったりね、不幸だったとしても撥《は》ね返せる不幸だったりね。たえず流動しているんですよ。しかし年老いてからはもう撥ね返せない。撥ね返すエネルギーもなくなっているし、第一時間が限られている。だから、その時こそ、倖せを大事に育て守らなければならんのですよ。夫婦というものはその時のためにある、わたしはそう考えています。エネルギーも時間もなくなった時こそ、いたわり合い、慰め励まし、築いて来たささやかな幸福を二人して守るんです……そう思われませんか？　奥さん……」

「はあ、思います」

「同感して下さいますか、奥さん」

「はあ……同感でございます」

「やっぱり奥さんは、わたしの思っていた通りの方でした……」

卓造氏は感動的にいうと正面からひたと私の目を見つめました。

「実は奥さん、今日伺ったのは、静との離婚の相談に上ったわけじゃありません」

「はあ？」

「離婚の決心はもう、相談するまでもなくついているのです」

「はあ……」

「単刀直入に申します。奥さん……静と離婚が成立した暁には、奥さんと共に、お互いの晩年を倖せに……愉快に過せるものなら、と……そう考えて伺ったんですが、いかがでしょうか」

私は口を開けたまま、声も出ません。その時、救いの神のように電話が鳴りました。

「ちょ、ちょっと失礼を……」

私は逃げるように応接間を出て、電話の前に走りましたが、もしや、と予感した通り、

「もしもし、勝代さん？」

という声は静さんでした。

「はい……あらまあ」

静さん、という言葉を急いで呑み込んで、応接間に聞えないように、

「いかが？　その後は」

といいました。

「あなたに聞いてもらいたくて、私、もう……悲しくて、情けなくて……」

つい二、三日前の電話では、熱を出して寝ているハヤトくんが、甘えてヤンチャばかりいうといって上機嫌だった静さんですのに、今日はすっかり元気を失っています。

「聞いてちょうだいな、勝代さん……」

静さんはそういうと、私の方の都合も聞かずに長々としゃべり出しました。

ハヤトくんの熱は大分下ったこと。この分ならば来週から学校へ行けそうだと昨日も話し合ったこと。けれども学校へ行かずに、こうして一日中ベッドにいて、静さんに手足を揉《も》んでもらったり、おいしいものを食べさせてもらう生活をいつまでもつづけることが出来たらどんなにいいだろうとカレがいったこと。病気の間はアッチの方はつつしみましょうね、と固く約束しているにもかかわらず、昼といわず夜といわず「おねだり」するので困ってしまうこと……。

ところがその一週間の幸福が昨夜、微塵《みじん》に打ち壊されてしまったのだそうです。

「昨夜の十二時すぎだわ、あの女から電話がかかって来たのよ！」

「あの女って……？　あの？　電話の？」

「そうなのよ！　名前も正体もわからないあの女が、酔っ払ってかけて来たの。ハヤトが電話番号をいったことがあったのね。その時は相手にしないような返事をしておいて、ちゃんと書き留めていたんだわ。なんだか油断出来ない女だと思わない？　ここんとこハヤトが病気で電話をかけなかったものだから、向うからかけて来たのよ」

「まあ……」

「電話口に私が出たのよ。もしもしっていおうとしたら、いきなり、鼻にかかった笑い声を出して、わたし、誰かワ・カ・ル？　っていうじゃないの」

「まあ……」

「わかりませんッてね、そのまま切ってしまえばよかったのよ。それをね、私ったら、どうかしてたわ、ハヤトに受話器をさし出していっちゃったのよ。カノジョからよ、って……なぜそんなこといったのか……自分で自分がわからないの、もしかしたら、私のプライドだったかもしれないと思ったり、ハヤトがどう反応するか見定めたいという気持だったのかもしれないと思ったり、自虐だったような気もしたり……」

私は応接間の卓造氏のことが気がかりで、早く電話を終らせたいと気ばかりあせるのですが、意気地なしの私には静さんのおしゃべりを打ち切らせることが出来ません。

「ハヤトったら電話に出て、私が聞いてるのもかまわずにいうじゃないの、『うわァ、ユメみたいだなあ』とか、『病床で毎日、あなたのこと思ってたんですよ』とか、『酔ってるんですね、あなたの酔った声を聞くとゾクする』とかしまいには『一度でいいから会って下さい。お願いします、お願いします』っていってるの。私が聞いているのに、ですよ。どう思う？　いったい、どういう心理だと思う？　その十分ほど前まで、私にしようしようって、せがんでいたのに……」

どう思うと訊かれても、どうして私に答えることが出来ましょう。

「あのう、ごめんなさい。あのね、今、来客中なの……あとで私の方からお電話させていただくわ。いけません？」

やっとそういいました。

「あらお客さまなの、ごめんなさい」

といってから、

「この間のお話の方ね？」

　というのです。

「ほら、再婚のお話のあの方……」

「あら、そんな……いいえ、ちがいますわ」

「そんなに慌てて隠さなくても……お話進んでるのね？」

「いえ、そんなんじゃないんですよ。あとでお電話します。ね？　あとで」

「そう？　じゃあね、お邪魔してごめんなさい」

　電話を切って応接間に戻ると、卓造氏はさっきの場所に、さっきの姿勢――すっと背筋を伸ばし、拳《こぶし》を膝に置いた姿勢のまま、私の電話の声も聞えなかったように凝然とテーブルを見つめていました。

「失礼いたしました」

　といって向い側に坐ると、はっと目が醒《さ》めたように私を見て、

「お許し下さい。老人はせっかちなものです」

　といいました。

「若い頃のように遅疑逡巡《ちぎしゅんじゅん》していると間に合わなくなってしまう。ですから勇気を奮ってお願いに上ったのです。いかがでしょう。わたしという人間をよく知っていただくために、近々、青森へご一緒したいと思うんですが……」

「青森――ああ、イスキリの……」

思わず口走ると、卓造氏の顔はぱっと光が射したように赧らんだ。

「覚えておられたんですね。新郷村——キリストとイスキリの墓のある村です。やはり関心をお持ちだったんですね！」

嬉しそうにいうのです。

「それを伺って、わたしたちは必ず倖せになれるという確信がますます強くなりました」

「はい……そういっていただくのは有難いんですけれど、静さんのお留守にそんな、……ご主人とあまりお親しくするのも……」

「いや、あれのことはいいんです。もう離婚も同然の女なんですから、どうか静のことはこだわらずにお考えになって下さい」

卓造氏は立ち上って私の前に手を出しました。

「握手して下さい、奥さん」

いやともいえず、仕方なくさし出した手をしっかりと握って、卓造氏はいいました。

「奥さん、どうかわたしに希望を持たせて下さい。お願いします……」

私は仏壇の前に坐り、夫の位牌《いはい》に線香を立てました。

「お父さん、私、結婚を申し込まれたんですよ。学究肌の真面目《まじめ》一方の方です。お互いに寂しい晩年を慰め合って過そうといって下さったんですわ。オホホ……」

オホホと笑ったのは、夫への優越感といいましょうか、復讐《ふくしゅう》の快感とでもいいましょうか。こんな私を泉下の夫はどう思って見ているのでしょう？　さんざん人をバカにして、欺《だま》したまま死んでしまった夫、まるで女房なんてものは働くために存在しているんだとしか思っていなかったみたいに、私への思いやりなどカケラも見せたことのなかった夫。自分が養ってやらなければ、こんな女、誰からも相手にしてもらえないのだと思いこんでいた夫。

「邦彦さんと卓造さん。二人の男性が私をとり巻いているのよ、お父さん。ウフフフ」

現実は「とり巻く」と表現するほどのものではありませんが、わざとそういってみると、乳房の谷間のあたりから、何かこうくすぐったいような笑い出したいような小波《さざなみ》が湧《わ》き上ってくるのでした。

静さんから手紙が来たのはその翌々日です。あとでこちらから電話をかけるといったものの、私はどうにもその気になれなくて、悪いと思いながらそのままにしていたのです。だってその人のご主人に結婚を申し込まれながら、空とぼけて話をするなんてことは私には出来ません。

「お電話がかかるかと待っていましたが、とうとう一日かかって来ませんでしたから、書きます。こちらからおかけしようとも思いましたが、何だかあなたの声がいつもと違うようでしたので、もしかしたら、あのクニヒコさんがお見えになっていて、いろいろ（身も心も）お忙しくしていらっしゃるのだろうと思って遠慮しました。あなたにも楽しいこと、嬉しいことが来ましたのね。心から祝福いたしますわ。

それにひきかえ、今日の私はどん底です。孤島の遭難者のような気持です。どっちを向いても船の影ひとつ見えない大海原。この島から出ようにも出られないのです。それは多分出ようとしないから出られないのです。それはわかっています。出ればいいのだ。出ようとすればいいのだ、と。でも出ようという決心が出来ないのです。

あの女へのハヤトの感情は、今のところ単なる好奇心です。丁度私に好奇心を燃やしたように、ふざけ半分の『恋人ごっこ』をしていることはわかっています。何度もそう自分にいいきかせるのだけれど、でも私の胸はおさまらない。こんなにハヤトのことが好きになってしまうなんて、自分が怖くなるくらいです。憎らしいハヤト。でもその憎らしい人がいないと一日も暮せないのです。もうもう、何から何まで大好き。ぐうたら、怠け者、もの識《し》らず、我儘《わがまま》、利己主義、贅沢《ぜいたく》、鈍感……まるで欠点のカタマリのようなハヤトなのに、その欠点全部が何ともいえない魅力で包まれているのです。

だって憂鬱《ゆううつ》そうなハヤトを見ると、何とかして笑顔をとり戻させたいと思ってしまう。だってハヤトの笑顔ってステキなんですもの（あなたもそうお思いでしょう？）。それでハヤトの喜びそうな料理を作ったり、マッサージをしてあげたり（ハヤトはマッサージが大好き）。勝代さん。

私はハヤトを喜ばせるために、マッサージを工夫してるのよ。マッサージといっても、あなたが思っていらっしゃるようなマッサージじゃないの。でも私、とても上手になったのよ。ハヤトの喜ぶツボを私、すっかり心得ているんです。ハヤトがだんだん興奮してくる（つまりそういうマッサージ）。すると私も興奮して、その時こそ、一体になったという歓喜に慄《ふる》えるのです。

一昨日《おととい》、あの女の電話の後、私は煮えくりかえるような思いを抑えて、『ハヤトちゃん、してあげましょうか』といいました。それをして一刻も早くハヤトの頭の中からあの女を追い出してしまわなければ、と思ったからなんです。そうしたら、いつもはどんな時でもすぐ、『うん』というハヤトが何ていったと思います。

『あとで』っていったんですよ、ハヤトは。よく子供が何とかチャーン、アソビマショウ、って呼んでるでしょう。そうしたら呼ばれた方が『あーとーでエ』って答えてる。あんなふうに、そっけなく『あとで』っていったきり、タバコをくゆらして、天井へ上って行く煙をぼーっと見てるんですのよ！

その時のハヤトのきれいな横顔ったら！　マンションの管理人の奥さんがハヤトさんは俳優になればいいのに。あのままにしておくのは惜しいですわねえ、といったことがありますが、ほんとうに笑顔もいいけれど、思いに耽《ふけ》っている時の横顔がまた何ともいえないの。私は思わずその横顔に見惚《みと》れながら、胸の中は煮えくり返っています。いうまいと思いながら、思わず、

『なにを考えてるの？』

と訊きました。そうしたら平気で、

『今の電話のひとのこと』

というじゃありませんか。そうして、

『会いたいなあ、一度でいい、会いたいよう……ねえ、おばちゃん、会いたいよう』

というのです。私がどんなにハヤトを愛しているか、どんなにカレのために尽

しているか（お金だってずいぶん使っているのです）を知っているのか、気がつかないのか。あんまりじゃありませんか。私は我を忘れ、逆上していってしまいましたのよ。『ハヤトちゃん、あなた、この私を、何だと思ってるの！』って。

そうしたら、何ていったと思います？　カレはこういったのよ！

『おばちゃんはおばちゃんだろう』って！　私はワーッと声を上げて泣いてしまいました」

3

静さんの手紙を読みながら、私は胸がつぶれ、うそ寒いようなあたりが薄暗くなったような、こういう気持を孤独感というのでしょうか、いうにいえない心細い気分に襲われて、暫《しばら》くの間、次を読み進めることが出来ませんでした。

静さんがどんなにハヤトくんを愛しているかを知っている私には、静さんを「おばちゃん」と呼ぶハヤトくんがにくらしい——と同時に「おばちゃん」と呼ばれて我慢している静さんがもどかしく、情けなく、その情けなさは、静さんひとりの情けなさではなく、私の身に侘《わび》しさとなって染み込んでくるのです。

静さんの手紙はつづきます。

「考えてみると私が声を上げて泣くなんて、何年ぶり、いや何十年ぶりでしょう。憶えているのは三十年くらい前、『きけ、わだつみの声』という映画を見た時に、声を上げて泣いてしまったことぐらいです。私は気強く生きて来たつもりですのに、こんなところで泣き伏してしまうなんて、自分でも思ってもみなかったことでした。

なのにハヤトったら、どうしたと思います？

『どうしたの？　どしたのさ、おばちゃん』

っていうだけなんですよ。

『泣いてんの？　本気？』ですって。

ハヤトには私が何に傷ついたかが、さっぱりわからないんです。ただ呆気《あっけ》にとられたふうで、

『やっぱし、人間っておばちゃんの年になっても、泣くものなんだねえ……』

と感心しているのですよ。そのあっけらかんとした一言に私は涙も乾いてしまいました。彼にとって私は何であるか。もういやというほどわからされました。それなのに、涙を拭いて、夜食の支度に立ち上る私です。勝代さん、どうか笑って下さいな」

手紙はそこで終っています。笑って下さいなといわれても笑うどころか、私の

胸はつぶれたままです。静さんはいったい行く先のことをどう考えているのでしょう。ハヤトくんと結婚出来るなどとは無論、思ってもいないでしょう。先のことなんか何も考えられなくなって、静さんは情熱に身を任せたのでしょうが、心の底では、いざとなったら帰ればいい、と卓造氏を甘く見ていたのかもしれません。卓造氏にはイスキリ研究さえあれば、妻もいらない、ご馳走もいらない、掃除もいらない、そんな人だと思いこんでいたのでしょう。卓造氏がやっぱり普通の男のように奥さんを欲しがっていたことを知ったら、静さんは目の前がまっ暗になるのではないでしょうか。その時の静さんを思うと、私は暗澹《あんたん》としてしまいます。

長い梅雨が漸《ようや》く明けて、例の還暦記念クラス会が開かれました。東京在住のクラスメイトは十一人。一人の欠席もなく渋谷のふく亭に揃《そろ》いました。山藤さんと洋子さんを除いては、みんな数十年ぶりに会う人たちばかりです。といっても、それは私だけで、他の人々はお互いに稽古《けいこ》ごとや結婚の世話などでふだんから交流があるらしく、私は今更のようにいかに自分が家の中にこもって暮して来たかを思い知らされたのでした。

「皆さん、お久しぶりでございます。女学校を卒業してから四十二年、その間に戦争があり、敗戦があり、私たちもいろんな苦労をしながらここまでどうにか生きながらえて来ました。今日は夫や子供や孫から解放されて、ゆっくり大いに楽しみましょう」

洋子さんがそんな挨拶をし、私たちはワインで乾杯しました。そうして早速、堰《せき》が切れたようにおしゃべりが始まります。何よりも一番の話題は健康に関することで、血圧が高いか低いか、熟睡出来るか出来ないか、小用が近くなったこと、足腰が冷えるようになったことなどから始まります。

「お互いにまだ二十代で姑《しゅうとめ》が元気だった頃は、クラス会だといっても、帰りの時間ばかり気にして、夕飯の支度に間に合うように飛んで帰ったもんやったわねえ」

と一人がいうと、皆がそうそう、そうやったわねえ、と声を揃えて賛成します。

その頃は集ると皆、姑の悪口をいったものだった。だがそのうちに姑の悪口は話題にならなくなった。姑よりも私たちの方が強くなったから、悪口いう必要がなくなったのよ、と別の人がいうと又、皆賛成し、その代りに嫁の悪口をいうようになったわね、と肯《うなず》き合い、その嫁の悪口もいい飽きて、さて、これからは何が一番いいたいかというと、「夫の悪口ね」と口々にいって又肯き合う。

「とにかくね、もうこの頃は何から何まで気に障るのよ、いったいどういう根拠があってそんなに威張るのか、いっぺん訊いてみたいと思うのよ。おい、お茶！　おい飯！　でしょ。飯にしてくれんか、ぐらいいうたらどうなんよ。えらそうに大イビキかいてからに、うるそうて眠れへんのよ。あんまりうるさいから、起したら怒るし。寝とる顔見ただけで、絞《し》め殺してやりとうなるの」

「ほんま、ほんま。何やしらん、もう理由も何もなくてハラ立つことあるわねえ」

「そこにいること自体がハラ立つのよ」

「ご飯の時でもひとが話しかけてるのに返事もせんと、お茶碗《ちゃわん》とお箸《はし》こう持って、ポカーンとテレビ見たまま。これでようまあ、三十年も会社勤めしてきたもんやと思うわ」

というようなことが次から次へと出て来ます。十一人の中で夫がいないのは山藤さんと私だけ。山藤さんは面白そうに、

「べつにご主人としてはえらそうにするつもりでイビキかいてるわけやないでしょ」

などとからかっていますが、私はふと、あんなふうに夫の悪口をいえるというのは倖せだなあ、と思ってしまうのでした。

そのうちに話はだんだんくだけて行きます。笠松《かさまつ》さんがいきなり、

「あーあ、六十年生きてても、胸ときめかすことなんかいっぺんもなくて、入歯になってしもうたわ！」

と大きく溜息をついたのがきっかけでした。

「そうそう、考えてみたら、私ら、男いうたら主人ひとりしか知らんのやもの……」

「つまらんわねえ……その点、小山田さんや神保さんはええわア」

と佐川さんがいったのは、小山田さんと神保さんは戦争未亡人で、子供を連れて再婚した人なのです。

「ええわ、なんていわんといてよ。子供のためにあんなハゲチャビンのところへ泣く泣く行ったんやないの。悲劇ですよ」

「それでもともかく、二人の男を知ってるわけやから……」

「私、いっぺんでいい、浮気いうものをしてみたかったわア……」

と佐川さん。

「すればええやないの、今からでも遅くない」

山藤さんがけしかけます。

「遅いわよう。そんな……簡単にいわんといてよ」

「遅いことないわ。あんたまだイケるわよ。髪もくろぐろしてるし。皺もないし……五つは若う見えるわ」

「五つ若う見えたって五十五やないのォ！」

佐川さんが悲鳴のように叫んだので、皆どっと笑います。

「五十五でもその気になったら出来るわよ。男なんてあのことにかけてはみな卑しいから、据膳《すえぜん》据えたら、必ず喰うわ。保証するわ」

「そうかしらん」

佐川さんは半分冗談のようにして、半分本気の目を光らせます。

「けどねえ……」

佐川さんが急に声を落していいました。

「私のイトコ、私より五つ年上なんやけど、出来へんようになったというのよ」

「出来へん？　何が？」

と洋子さん。

「決ってるでしょう。アレがよ」

「へーえ、なんで出来へん？」

「イタイのやて」

「イタイ？　なんで？」

「つまりねえ、濡れへんのやて」

私は愕然《がくぜん》として佐川さんを見つめました。

「その人、きっと子供を産んだことのない人でしょ？」

「三人産んでるの。産んだ人でもそうなるんやて。旦那《だんな》と死に別れて七年目に老人クラブで知り合うた人と別居結婚みたいな形で一緒になったのね。時々旅行に出たり、男の方がイトコの家へ来て泊ったりね。一回目、二回目はまあまあ、出来たらしいんやけど、三回目あたりからあかんのやて」

「その人のこと、あんまり好きやないのでしょう？」

「ううん、好きなんよ。年は六十九の男やもめやけど、身ぎれいでええ人やというてるわ。好きなだけに困ってるのよね」

「へーえ、そんなことってあるんやろか？」

と驚いた笠松さんに、山藤さんは、

「あんたどう？」

と訊きます。

「そんなもん、うちら五年もしてないからわからへんわ。したらやっぱり錆《さ》びついてるのかもしらんけど」

「わたしらは錆びついてもべつにどうということないけど……」

「けど悲しいよう。そんなこと聞くと、夢も希望もなくなるやないの……」

佐川さんが切実な声を出したので、皆は笑いこけました。私も一緒になって笑いながら邦彦氏のことが頭をよぎり、何となく気持が沈んで行ったのでした。

クラス会が解散したのは五時近くです。何のかのといいながら、みんな、やっぱり夫のために夕飯に差支えぬよう、帰りを急ぎます。しかし私だけは急いで帰る必要がありません。待っている人は一人もいません。山藤さんもそうだけれど、しかし山藤さんには仕事がある。

「じゃあね、また……」

といってタクシーに乗り込む山藤さんは、今夜は徹夜で原稿を書かなければならないのだとぼやいています。急いで帰らなければならないということは、本当に倖せなことなのです。けれどもその時はそれが倖せだとは誰も思っていない。何とかして自由になりたいと皆思ってジレているのです。そうして誰からも拘束されず、ひとり気儘《きまま》に暮せるようになってからはじめて、あの時——自由のなさにジレて怒ってばかりいた時が一番倖せだったことに気がつくのです。

私は誘われるままに洋子さんの車に乗って洋子さんの家へ行きました。洋子さんのご主人は北海道へ出張中だそうで、洋子さんは暇をもてあましているのです。

「あ、そうやわ、これから軽井沢へ行こ！」

洋子さんは応接間で冷たいコーヒーを一口飲むと、ぽんと手を叩いていいました。

「ね、カッチン、軽井沢へ行かへん？　これから車飛ばしたら、八時には着くわ。ね？　行こ、行こ！」

おカネモチの考えることは、こうだからびっくりしてしまいます。一家の主婦がひょっと思いついて、これから軽井沢へ行こう、などといえるのは、よくよく贅沢な暮しに馴れている人です。

「車で？　洋子さんが運転するの？」

「そんなもの、私に出来るわけないじゃないの。兄貴よ、兄貴……」

とたんに胸がドキンとして、顔がパーッと熱くなりました。

「あの……邦彦さん？」

「そうよ。丁度、ええ機会やわ。ゴルフのコンペで土曜に軽井沢へ行くとかいうてたから……今日は金曜でしょ……きっとまだこっちにいるわ」

ちょっと待って、といって洋子さんは部屋隅の電話機のところへ立って行きました。

「あ、兄さん？　私、これから軽井沢へ行きたいねんわ。兄さん、車で送ってよ……え？　ええやないの……どうせ明日行くんでしょ。うちの別荘に泊めてあげるから運転してエな。ね、ね、勝代さんも一緒やから……」

洋子さんはそういって私をふり返ってニヤリと笑い、

「そんならね、待ってるわ、え？　一時間したら？　うん、そしたらあとで」

と受話器を置きました。

「来るって……」

「そう……」

私はいつの間にか、一緒に行くつもりになっている自分に気がつき、

「悪いわねえ……」

といいながら、顔がまた熱くなったのでした。

一時間後、私は邦彦氏の後ろの席に洋子さんと並んでいました。洋子さんは邦彦氏のま後ろ、私は後ろから僅《わず》かに横顔の見える位置にいます。麻の涼しそうなシャツを着た邦彦氏の日焼した逞《たくま》しい頸筋《くびすじ》を見ていると、私はへんに悩ましく、胸が轟いてくるのをどうすることも出来ません。

「ねえ、兄さん、私もゴルフしようかしらん……」

洋子さんは後ろからしきりに話しかけます。

「ねえ、教えてくれる？」

「ゴルフか、お前はやめとけ」

「なんでよう？　そんなこといわんと教えてちょうだいよ。カッチンと二人」

「勝代さんゴルフ好きですか？」

いきなり訊かれて私はドキドキしながら、

「好きか嫌いか……話に聞くばっかりで見たこともしたこともありませんから……」

「でも健康にいいのよ。そうでしょ、兄さん……」

と洋子さん。

「うん、まあ、やり方によるけどな」

「そやから指導してちょうだい、いうてるのやないの」

邦彦氏は前方を見て黙ってハンドルを動かしています。もしノウといえば、邦彦氏は私に関心を持っていないことになる——そう思いながら、私はじっと返事を待っていました。

「どうなんよ、兄さん……」

洋子さんにせっつかれて、邦彦氏はいいました。

「勝代さんはともかくとして、お前はなあ……無理やないか？」

「無理？　なんで？」

「お前がゴルフやって日焼したら、どんな顔になるか……これはやめといた方がええ。お前んとこの亭主が気の毒や」

「兄さん、冗談ならともかく、本気やったら許さんよ」

「本気や」

「そんなら兄さん、カッチンならええの？」

「勝代さんか……」

邦彦氏は少し考えて、

「興味ありますか、ゴルフ？」

と私に訊きました。私はドギマギして何と答えたらいいのか、わからなくなってしまいました。あるといった方がいいのか、ないと答えた方がいいのか。邦彦さんはどっちを望んでいるのだろう？　邦彦さんがあると答えてほしいのなら（本当はそんなお金のかかることなんかしたくないのですが）ありますわ、と答えたい。

邦彦さんのそばにいると、大きな屏風《びょうぶ》に囲まれているような気持になるのです。こんな人のそばにいられたら……こんな人に愛されて老後を暮せたらどんなに幸福だろう、と思います。だから出来るだけ、この人の気に入るような返事をしたい……そんな気持で私は、

「興味はありますけど……でもご迷惑ですわ。私みたいな不器用な者に教えていただくのは」

そういって私は邦彦氏の次の言葉をかたずを呑んで待ちましたが、邦彦氏はただ、

「勝代さんは不器用ですか、アッハッハア、お見うけしたところ、そうかもしれませんな」

と笑っただけでした。

洋子さんの軽井沢の別荘は、浅間山を望む北軽井沢の草原の中にあります。想像していたよりもずっと大きく立派で、電話で連絡してあった別荘番の娘さんが窓を開け、お茶の用意をしてくれていました。食事は近くのホテルへ出かけることにし、とりあえず休憩します。階下は広いダイニングキッチン。二階に四部屋あります。私に与えられた部屋は星空に浅間山の影が見える洋室です。私はぼんやりとベッドに腰を下ろし、小説の主人公になったような、夢の中にいるような気持です。私と邦彦氏は、これからどうなって行くのでしょう？

まるでひとごとのようにそんなことを考えました。どうなって行くのか、どうなりたいのか。お前は邦彦氏と結婚したいのか？

改めて自分に向って訊きただすと、わからなくなってしまいます。よくよく自

分を問い詰めると、私はどうやら邦彦氏を好きになっているみたいなのです。これを〝恋〟というのでしょうか？　生れてから恋という感情を一度も味わったことなく、見合結婚をした男を我が半身と思って尽して生きて来ました。夫を愛したその気持と〝恋〟とはちがうのでした。夫への愛には生活がかかっていましたが、今のこの気持にはそんなものはありません。夫をステキだなあなどと思ったことは一度もありませんでしたが、邦彦氏の一挙手一投足が、今、私にはステキに思えはじめているのです。

夫に気に入られたいと思ったことはありませんでした。ただ夫に服従していただけです。夫が大事だったのは生活が大事だったからです。けれども今はちがう。邦彦氏が私の右に坐れば、身体の右の方がピリピリと過敏になり、左に坐れば左の方がそうなるのです。邦彦氏が冗談をいうと、一所懸命に笑いたくなる。話しかけられると、邦彦氏の気に入るような答えかたをしなければ、と思って固くなってしまう……。

この悩ましい夏の夜、いったい私の上に何が起るのか、それを怖いと思いながら、その一方でその時を待ちかねている私なのでした。

最後の出発

1

私たち三人はホテルで夕食をとった後、木立の蔭《かげ》から噴水の音が聞えてくるテラスでコーヒーを飲みました。艶《つや》やかななす紺色の夜空が頭の上にひろがり、いっぱいに星が輝いています。顔を上げてそれを見ているうちに私はもの悲しいような、悩ましいような、切ない気持でいっぱいになり、思わずほーっと溜息《ためいき》を洩《も》らしてしまい、その溜息を洋子さんに聞かれたかと思うと――その溜息の中から、思わずしらず滲《にじ》み出てしまったものに気づかれたかと思うと――むしょうに恥かしくなって、それをごま化すために、

「なんて、きれいなお星さまでしょう」

といったのでした。邦彦氏はその言葉に誘われたように顔を上げて夜空を見、

「まったくですな」

といいましたが、その言葉は単なる儀礼上の応答であって、邦彦氏は星空に特別の興味など持つ人ではないことがその語調でわかりました。

「もう何年も東京で暮しているうちに、夜空の色がこんなきれいな色だったことを忘れてしまってましたわ」

「ほんとやねえ。ここへ来ると私、子供の頃を思い出すのんよ。子供の頃の夜はこんな色してたでしょう？」

洋子さんはそういうと、「ちょっと、ごめんね」とだけいって椅子《いす》を立って行きました。私は邦彦氏と二人きり。二人きりだと思うと急に何の言葉も出なくなって、鼻孔に手を当てられたように息苦しくなります。邦彦氏は黙っています。私みたいなつまらない女が相手では、話をする気にならないのかもしれないと思うと、何かいわなければ、という気持と、でも何をいえばいいの、という気持が入り混って、ただあせるばかりです。その時、黙って煙草《たばこ》の火を明滅させていた邦彦さんが、灰皿で煙草を揉《も》み消しながらいいました。

「洋子は気を利かせたんですかな……」

「は？」

私は息を呑《の》む思いで邦彦氏の言葉の意味を考えます。

「洋子は……」

邦彦氏はいいました。

「ぼくと勝代さんを、結びつけようとしているんです」

「………………」

邦彦氏は何をいおうとしているのでしょう。私はもう、胸が痙攣《けいれん》して何もいえません。邦彦氏はつづけていいました。

「ご迷惑やありませんか？」

「は？　いえ……迷惑やなんて、そんな……」

しどろもどろにそういってから、必死でつけ加えました。

「……あの、邦彦さんこそ……きっと、ご迷惑でしょうと……心配しておりました……」

邦彦氏は「いやア」と鷹揚《おうよう》に笑って、新しい煙草に火をつけ、ゆっくり煙を吐きます。

「ぼくもさんざん、悪いことをして来た夫でしてね。女房もきつかったが、ぼくも悪かった。きつかったから悪くなったのか、悪かったからきつくなったのか、鶏が先か卵が先か……」

邦彦氏は自分に向っていうようにゆっくり呟《つぶや》くと、

「どっちにしても、ぼくのような男は結婚生活に向かんと考えて、女房が死んだ後、ずっとひとりで来たんですがね……」

　邦彦氏は組んでいた脚を組み替えて、私をチラと見、それからてれくさそうに目を逸《そ》らしました。

「この頃、結婚するのも悪くないなあ、と思うようになったんですよ」

　私の心臓は今にも割れそうです。もう何も考えられません。半分気を失ったようになって、ただボーッと坐《すわ》っているだけなのでした。

「勝代さんは……」

　遠くの方から邦彦氏の声が聞えて来ます。

「とてもご主人に尽されたそうですね。そしてご主人も大へん真面目《まじめ》ないい方だったとか……」

「…………」

「ぼくなんか、死んだワイフのことを思い出しもしない。思い出す時は、あんなことしやがったとか、こんなこともいいやがったとか、腹の立つことばっかりですよ。勝代さんはきっとちがうと思いますなあ。ご主人のことを思い出す時は、懐かしいいい思い出ばっかりでしょう……」

「いいえ、そんな……」

　ボーッとなったまま、やっと答えます。

「ぼくは勝代さんのような人を奥さんに持てたご主人は幸福やったと思いますよ。ぼくもその余得に与《あずか》りたいという気持は確かにありますなあ……しかし」

その「しかし」に、私は短剣でグサッと胸を突き刺されたようにピクッとなりました。邦彦氏は「しかし」といったまま、不意に沈黙しています。

──しかし、……何ですの？　早くいって下さい。止《とど》めを刺すなら早く刺して下さい……ざわめく胸の中でそう叫びながら、首斬《くびきり》役人の前に坐ったように私は、じっとうなだれていました。

やがて、漸《ようや》く邦彦氏はいいました。

「……ぼくはそんなに立派な人間ではありませんから、勝代さんと一緒になったら、そのうちにきっと勝代さんはこう思うだろうと思うんですよ。『死んだ主人はこうやなかった』とね。何かにつけて、亡くなったご主人が出てくると思いますなあ……」

「そんな……そんなこと……」

そんなことはゼッタイにありません、と大声でいいたいのに、情けないことには、私は「そんなこと」としかいえないのです。

「年をとるということは、こういうことなんですなあ……」

邦彦氏は詠嘆するようにいいました。

「あれを考え、これを考え、迷いに迷う。年をとって人生経験を積んで来たから決断力が養われたかというと反対なんですな。経験を積んだために臆病《おくびょう》になる。そんなことに今になって気がついて、侘《わび》しい気持になっていますよ」

邦彦氏はそういって、軽い笑い声を立てたのでした。

——ということはつまり、私は邦彦氏から婉曲《えんきょく》に断られたということになるのだろうか……それとも、まだいくらか望みがあるということなんでしょうか？

……

私は、混乱して、その場にわッと泣き伏したくなってしまいました。

「洋子はどうしたんでしょうね」

邦彦氏の呟きが遠くから聞えて来ます。

「先に帰ったのかな、気を利かして」

邦彦氏は呟いて、

「さあ、では、ぼくらも帰りましょうか」

その声は聞えていますが、身体《からだ》がいうことをきかないのです。帰りましょうということは、これでもう、結論は出しましたよ、オシマイ、ということなのでしょうか。

邦彦氏は立ち上って、私を見下ろしています。私が立つのを待っているのです。

「さあ……」

と手がさし出されました。その手に縋《すが》るように思わず手をさしのべてしまいました。

「どっこいしょ」

といって立たせてくれます。私は漸く立ち上って、よろめきました。それは弾みでよろめいたのか、よろめきたくてよろめいたのか、自分でもわかりません。よろめいた私の身体は邦彦氏のがっしりした胸で支えられ、煙草と乾草が混ったような香ばしい（と私には感じられたのです。人によってはオトコ臭い、老人臭いといっていやがる人もいるでしょうが）においが私を包んだのでした。

「どうしました？」

と耳もとで邦彦氏の声がいいました。私はそのまま、その胸の中にくずおれてしまいたいという欲望を懸命に耐えました。

「大丈夫ですか」

「ハイ、大丈夫です……すみません……」

全力をふり絞って邦彦氏の胸から離れようとしたのですが、なぜかそのとき、自分でも思いもよらなかった涙が一筋、私の頰《ほお》を流れたのでした。

その涙に邦彦氏は気がついたかどうか、わかりません。コーヒーテラスには私たちの外に人影はなく、ボーイもどこにいるのか、さっきから姿がありません。

「どうしました？」

邦彦氏は心配そうに私の顔を覗《のぞ》き込む。涙を見られまいとして私はせい一杯顔を横に背け、

「大丈夫ですわ、まいりましょう……」

そういった途端に、私たちはどっちが先に動いたともなく一つになっていました。私は顔を邦彦氏の胸に埋《うず》め、彼のおとがいは私の頭の上にありました。彼の腕に力がこもるのがわかりました。けれどもそれは一瞬間のことです。

私は弾《はじ》かれるように飛びのき、自分でもわけがわからないまま、

「すみません……申しわけありません……」

と謝っていたのでした。

私たちは無言のままホテルを出て、車に乗りました。

「今夜のような夜は、ぶらぶら歩いて帰りたいですね」

車にキイをさしこみながら、はじめて邦彦氏がそういいました。

「ほんとに」

といった私の声は、興奮に嗄《しゃが》れていました。身体は熱でもあるように熱くなっ

ていて、のどはカラカラです。私は洋子さんの別荘へ帰りたくないのです。このまま、夜通しこうして走っていたい！

ほんとうに生れて初めての気持でした。自分から男のひとに抱かれたいと思ったのは。六十になってから、こんな気持になるなんて、恥かしいと思う気持はふしぎにないのでした。

けれども車はあっという間に別荘に着いてしまいました。邦彦氏は運転席を出て、車の前を廻《まわ》って来て、私の右手のドアを開けてくれました。なんて優しい方でしょう。私は夫に車のドアを開けてもらったことなど（陣痛が来て産院に入院した時だって）一ぺんもないのです。

洋子さんはもう寝たのか、居間には電灯がついたまま、誰もいませんでした。

「おさきに、やすみます」

テーブルの上の紙切に、そう書いてありました。時計を見るともう十二時近いのです。

「休まれますか？」

立ったまま邦彦氏にそういわれ、つい、

「ハイ」

と答えてしまいました。本当はもっとここでお話をしていたいくせに。それを

察したか邦彦氏は、

「それとももう少し、おしゃべりしますか？」

そういわれて、また、

「ハイ」

といってしまう。

「どっちです？」

邦彦氏は笑いながら近づいて来て、ゆっくり腕を伸ばして私を引き寄せると、私の顎《あご》を持ち上げて唇に軽く唇を触れました。

「おやすみなさい」

「疲れたでしょう……」

邦彦氏はいいました。

いいえ、ちっとも！　といいたかったのですが、いえませんでした。

「おやすみなさいませ」

そういって階段を上りました。上りながら呼び止められるのを待っていましたが、呼び止められませんでした。部屋に入り、ベッドに腰を下ろして、ドアがノックされるのを待っていましたが、彼は来ませんでした。

山藤さんがやって来たのは翌朝の九時頃です。

「ヨーコから電話もらったとき、締切に追われてたもんで、とても行けへんと思ってたんやけど、やっぱり応援団がおらんと、試合も白熱せんやろと思て、クルマ飛ばして来たんやわ。徹夜明けよ」

玄関を入ってくるなりそういうと、

「ところで、どう？ 経過は？」

せっかちに訊《たず》ねます。

「邦彦さんは？」

「もう出かけたわ。ゴルフ場へ」

と洋子さんが山藤さんの朝ご飯を出しながら答えました。

「それで？」

と山藤さん。

「なにが？」

と私はわざととぼけます。

「なにがって、わかってるやないの。どうした？ 進行した？」

私は口ごもりました。昨夜のことが走馬灯のように頭をひと廻りしました。

洋子さんには何も話してないけれど、山藤さんには話したい。山藤さんにしゃべるとすぐに書かれるから用心しなさいよ、と友だち連中はいうのですが、でも山藤さんは何でも率直に（率直すぎると人はいうけれど）ものをいう人なので、やっぱり私は何もかも話したくなってしまうのです。

昨夜は眠っていないので、二時間ほど眠らせてという山藤さんを、私は私の部屋へ案内しました。山藤さんは私のベッドに横になって、

「ねえ、それでどうなったんよ？」

といいます。山藤さんは本当は眠たいのではなくて、私から話を聞くために洋子さんから離れようとしたのかもしれません。

訊《き》かれるままに私は昨夜の一部始終を話しました。山藤さんは「ふうン」とか「なるほど、いいぞ」とかいいながら聞いています。話は最後のキスのところで終りました。

「そうか……キスをねえ……うーん。そのキスのイミは？……」

唸《うな》って考えています。

「外国なら妹とか、親しい友達とかに対してそんな軽いキスをするみたいだけど……日本にはいくら親愛の情を持っていても、キスするなんて習慣はないからねえ……日本では唇を触れ合うのは恋人、夫婦だけでしょ。そうすると、外国では軽い親愛のキスでも日本ではやはり恋とか欲望とかを表現するキスになるのかも

しれないし……だとすると、邦彦さんはあなたを恋人としてあつかったことになる……」

「でも……」

私はいいました。

「ずいぶん、あっさりしたものやったのよ」

「あっさりねえ、ふうーん……」

山藤さんは真剣な顔で首をひねり、

「これは、もしかしたら、彼、自信がなくて迷ってるのかもしれんよ」

「だからそれは迷ってるって、いいはったわ。結婚したら、私が死んだ主人と邦彦さんを較《くら》べて失望するようになるんやないかって……」

「いや、それはタテマエでね、ホンネは別のところにある」

「別のところって？」

「アッチに自信がないのやないかなあ……」

「アッチって……」

「アッチはアッチやよ。セックスよ」

「まッ……」

ズバリといわれて私はドギマギしてしまいました。

「彼、昔はものすごくアソんだ人やというでしょう。だから普通の男よりも早う使い果してしもうたんやないかしら……あんなアソビ人が奥さんが死んでから、ぜんぜん遊ばなくなったのがふしぎやとヨーコもいってたでしょ……」

私は答に困りました。

「それでね、深入り出来へんのとちがう？　昔のプレイボーイやから、誇りがあるのよ……」

さすが小説家は考えることがちがうわと私は感心して聞くばかりです。

「それに相手を失望させるのが辛《つら》いということもあるだろうし……はじめっからずーっと貧乏して来た人間は、貧乏に馴《な》れているでしょ。だから年とってからの貧乏も何とも思わずにいられるけど、カネモチが年とってから急に貧乏になると、人一倍、惨めさを感じる……それと同じようなもんやないかなア……」

「でもそんなこと、私はべつに何とも思わへんのに……」

思わず力んで、私はそういっていました。

「セックスなんて……そんなものなくてもいいのよ。心の結びつきがあれば、セックスみたいなもの……」

山藤さんはそういった私の顔を調べるように見ていましたが、

「あんた、カッチン、ほんまに好きになってしもたんね」

しみじみした口調でいいました。そう改めていわれると急に恥かしさが押し寄せて来ます。答えないでうつむいた私を見て、山藤さんは、

「そうかア……」

大きく肯《うなず》いて腕組みをします。

「こういう男を相手にする場合は、女が積極的に出るしかないのよね」

積極的にといわれたって、どうしたらいいのか、わかりません。

「つまりね、セマるのよ」

「セマる！」

「好きだっていうのよ。そしてセマるのよ」

「だからセマるって、どうすること？」

「身を投げ出すのよ」

「どこへ？」

「どこへって……厄介な人やね。相手の胸の中に、よ。そして抱いてちょうだい、っていえばいい」

——抱いてちょうだい……。

この私にそんなことがいえるでしょうか！　夫にさえもいったことがないのです。それをどうして、二、三回会っただけの人に……。

「そんなことというてたらアカンわよ。出来るもんも出来へんわよ。とにかくむしゃぶりついて、向うに迷うヒマを与えないようにするの。わかる？」

「わかるけど……でも、どこでするの？」

「そんなこと、自分で考えなさいよ！　もし何なら今夜、ヨーコと私は帰るから……」

「いや、いや、そんなことせんといて！」

山藤さんは私の悲鳴にはかまわずいいました。

「そこまでされて、断る男はゼッタイいないわ。たとえ、インポの不安があったとしても、一応、奮起してこころみるのが男というもんですよ。その場に立ち到ってもまだ、逡巡《しゅんじゅん》しているような男やったら、断乎《だんこ》、諦《あきら》めた方がいい！」

2

ああ、私の人生って、いったい何だったのでしょう！

私はつくづく、しみじみ、そう思わずにはいられないのでした。男から愛の言葉を聞いたこともなければ、自分の口からいったこともない。はじめて見合をして、そしてその翌日にはもう、結婚が決っていた。好きもキライもない。トラック一杯の女に男一人、という割合で女が余っていたのです。とにかく早く結婚しなければ、誰でもいい相手をつかまえてしまわなければ、嫁《ゆ》きおくれてしまうのです。そして嫁きおくれる、ということは、男の失業と同じ、生活の糧《かて》を得られない、ということなのでした。

就職難時代には勤め先を選んではいられない。それと同じ気持で私は結婚したのです。私ばかりじゃない。洋子さんも佐川さんも、笠松さんも……みんなそうでした。山藤さんだけが「妥協」することを拒んだので、仕方なく小説家になってしまった、とか。

「私は文学のために現実生活をギセイにしたなんて上等なことじゃない。貰《もら》い手がないから、生活のために、仕方なく小説家になったってことよ」

と山藤さんは自虐的にいいましたが、でもそのおかげでイロイロと豊富な恋愛経験を重ねることが出来たのですもの……今となっては私はそれが羨《うらや》ましい。

「だいたいね、スポーツマンタイプというような男は、アッチはダメね。センシビリティがないからね。ただ力で押せばいいと思ってるから、すぐ飽きがくるのよ。そこへいくと売れない芸術家ってのは、芸がこまかいの。だいたいヒマだから熱心だしね。私は経験ないけど、聞いた話では政治家っていうのが一番ダメだそうよ。自分勝手で女をモノと考えてる……」

山藤さんのそんな話を聞くと、私はびっくりして顔が赧《あか》くなってしまいます。

「邦彦さんはどうかなア……私のニラミでは、ありゃなかなかの腕達者だと思うのよ。但し、昔の話ね。今は現役を退いて、折にふれ昔の栄華をしのぶ——そんなところじゃないかしら。でも、現役に返ってソノ気になれば、まだまだ使えるはずですよ。あの年で、身ごなしにイロケがある男って、そうはいないもの。だからね、カッチン、腕にヨリをかけて、彼を蘇《よみがえ》らせるのよ……」

そんなに簡単にいわれても、腕にヨリを、どんなふうにしてかけるのか、私にはわかりません。わかるのは、ああ、私の人生って、なんて貧しかったのだろう……ということだけです。

けれども、昨夜、私のその貧しい人生に、マッチの焰《ほのお》ほどの小さな火が灯《とも》ったのです。邦彦さんの胸に顔を埋《うず》めたあの一瞬のおののき。私の顎を持ち上げた指、そしてふれるかふれぬかに近づいた唇。

あの束《つか》の間《ま》の夢のような出来ごとは、私の身体の奥に灼《や》きついて、熱をもったように昨夜からずーっとうずいているのです。

邦彦さんは私をほしいのでしょうか？

それとも、私の気持を察して、それに対して儀礼的にこたえてくれただけなのでしょうか。

私を好きだけれども、それ以上には進まない――そんな気持を私に伝えたつもりなのでしょうか。

それとも山藤さんのいうように、「自信のなさ」がそこで彼にストップをかけたのでしょうか。

けれども(彼はそれでいいかもしれないけれども)私はあのマッチのひとすりのような小さな焔によって、かき立てられてしまったのです。

「セックスなんて、そんなものなくてもいい。心の結びつきがあればセックスみたいなもの……」

と私は山藤さんにいいましたが、でも本当はそうではなくなっているのでした。たとえ私を愛していると彼が、百万べんいってくれたとしても、その言葉だけでは満たされない。愛を確かめるには、やはり身体の結びつきが必要なのだ……。私はだんだんそんな気持になって来ている自分に気がつかないわけにはいかないのでした。

邦彦さんがゴルフから帰って来たのは、浅間山の大きな影が、別荘の窓に届いた頃でした。私が二階の窓からぼんやり外を見ていると、邦彦さんの車が走って来て前庭に入り、中から出て来た彼は私の熱い視線を感じたようにふと目を上げ、私を見てにっこり、軽く手を上げました。白いハンチングにサングラスがとてもよく似合っているのです。

　間もなく階下で洋子さんと大声で冗談をいい合っているらしい声がして、邦彦さんはお風呂に入った様子です。

「さて、と、ちょっと散歩に行ってこようか」

　山藤さんはベッドから起き上って、ひとり言のようにいいました。

「カッチンのおかげで、ひと眠りするつもりが、眠るどころでなくなったわ」

　そういって、部屋を出て階段を下りて行きます。

「私も一緒に……」

　といおうとして、いえません。私は邦彦さんと二人きりになりたいと思っているのでした。

「ねえ、ヨーコ、行かない？」

　という山藤さんの声がします。思わず耳をすました私は、

「うん……行こ……」

　という洋子さんの返事を聞くのと一緒に、心臓の鼓動が頭のてっぺんまで響くほどにドッキン、ドッキンと打ちはじめたのでした。

　生れて六十年、私は一生にたった一度、という決心をしました。

今までは映画や小説の中の作りごとだと思っていたことを、今、私は自分でしようとしているのでした。それは生れてはじめてのことです。清水の舞台から飛び降りるのです。

邦彦さんが階段を上って来ます。口笛を吹いています。

「洋子！」

と洋子さんを呼び、それから私の部屋のドアがノックされました。

「失礼します、洋子は？」

と邦彦さんの顔が覗きました。

「洋子さんは……階下《した》にいらっしゃいません？」

外へ出たことを知っているのに、なぜかそういってしまいました。邦彦さんの顔を見るのが眩《まぶ》しい。昨夜の、あの小さなキスを、この人は何と思っているのでしょう？

「どこへ行ったのかなあ……失礼しました……」

そういってドアを閉めようとする。とっさに私は、

「待って下さい！」

と叫んでいました。その声が異様に上ずっているのに、驚いたように邦彦さんはふり返りました。

「あのう……あの……わたくし……」

私は叫んでいました。その叫び声の中には、何の華やかなこともなかった六十年の女の怨《うら》みがこもっていたかもしれません。

邦彦さんはいいよどんで、ひとりうろたえている私を、びっくりしたような目で見ています。

「どうしました？」

なんて優しいその声！　そして邦彦さんは一、二歩、私の方へ進みました。

「あの……わたくし……わたくし……」

後の言葉が出て来ません。何をいうつもりだったのかもうわからなくなって、両手で顔を隠して突き進みました。邦彦さんの腕に向って。

どしーん、とぶつかり、そうして大きな腕に抱え込まれたことがわかりました。ハクライの石鹼《せっけん》のとてもいい匂《にお》いがしました。

――抱いてちょうだい、っていえばいい、

という山藤さんの声がどこからか聞えました。

――とにかくむしゃぶりついて、向うに迷うヒマを与えないようにする……そこまでされて、断る男はゼッタイいないわ。たとえ、インポの不安があったとしても、一応、奮起してこころみるのが男というもんですよ……。

私はもう無我夢中でした。恥かしさが私を突進させました。しかし、「抱いて」という言葉は、まるでのどに詰ったアメ玉みたいに、口に出て来ません。その代り、自分でも思ってみなかった言葉が、口をついて出て来ました。

「わたくし……わたくし……つまらない女ですけれど……こんな年してあつかましいとお思いになるかもしれませんけど……わたくし……邦彦さんの……お役に……立ちたい……」

後で思うと消えてなくなりたいくらい羞《はず》かしい、野暮ったい台詞《せりふ》です。これでは出版物のうりこみみたいです。でも、それが私のせい一杯の愛の告白で、そうして邦彦さんを求める声でもあったのです。

邦彦さんはそれをわかってくれました。私の背中に廻った腕に力がこもりました。映画などではここで、当然、熱い口づけが行われるところです。そう思ったとき、自然に私の顔は仰《あお》のき、邦彦さんの顔は下って来て、私たちの唇はぴったりと合されました。私はぎゅっと目をつぶり、背の高い邦彦さんがキスし易いように、一所懸命に背ノビをして、その接吻《せっぷん》を受けました。

長い長い接吻でした。私はもう、気が遠くなりそう。映画などではこの次は、二人はゆっくり、倒れて行くことになっています。そう思うと私の身体はひとりでに後ろへ倒れようとし、邦彦さんはそれに従って前へかがんで来ます。

邦彦さんが私を倒そうとしたのか、私が邦彦さんを引っぱったのか、わかりません。しかし、後ろへ倒れようとしながら、私は、

「いけません、こんなところで……そんな……」

と口走っているのでした。邦彦さんは何もいわずに私をベッドに倒しました。そうして私の顔中にキスの雨を降らせ、ブラウスのボタンを外して行くところも、映画そのままです。

けれども、ブラウスから現れる肌、二つの乳房はもう六十歳、二人の子供にさんざん吸われ、やわらかく萎《しな》びて寂しく胸に垂れているのです。思わず私はそれを隠そうとしましたが、邦彦さんは優しくその手をのけて、ズルズルとスリップの間から乳房を引っぱり出すと、乳首を口に含みました。羞かしさと申しわけなさ（こんな粗末な乳房をさしつけて）で、私は身が縮む思いです。私はつい、

「ごめんなさい……すみません……」

と謝っていました。

「どうか……どうか、もう、これ以上は……」

悲鳴のような声でした。しかし邦彦さんはかまわず、無言で私のスリップを下へ押し下げたのでした。

ああ、三十年若かったら……いえ、二十年若かったら……いえいえ、十年でい い、十年若かったら……いや、夫が死んですぐの頃であればまだ今よりはマシだった。邦彦さんの前で、こんな身の縮むような思いをしなくてもよかったかもしれない。

ああ、なぜもっと早く、私たちは会えなかったのでしょう！　映画の女は惜しげもなく男の前に裸身を晒《さら》すではありませんか。けれども私は、

「あ、ダメ」

「そこ、かんにんして」

「いや、おねがい、見ないで」

と、いいつづけ。そんなにうるさく注文を出しては、邦彦さんも興醒《きょうざ》めてしまうだろうと思いながらいうのをやめられないのでした。

けれども、そのうち、邦彦さんがズボンを脱いでいよいよ乗りかかって来た時、申しわけなさと羞かしさで縮み上っていた私の気持は少しらくになりました。もうここまでくれば、粗末な身体のあちこちを見られる心配はなくなったからです。あとすることはただひとつなのですから。私は少し気がらくになり、目をつむって邦彦さんを迎え入れる姿勢をとりました。

が、私の予想に反して、邦彦さんはなかなか入って来ないのです。といっても、

決してもったいぶっているわけではない。どうしてるわけでもない。さっきは確かに猛《たけ》り立っていた筈《はず》のものが、今はなぜか、急におとなしくなってしまったのです。

私は愕然《がくぜん》としました。

私の粗末な身体が、邦彦さんの欲望を消してしまったのだ！　そう思いました。

それでも邦彦さんは何とかしようと、一所懸命に努力をしています。私も手伝いたいけれど、手伝っていいのか悪いのか。夫との夫婦生活では、そんな経験が一度もなかったので、どうしたらいいのかわかりません。それにあんまり手出しをしては、すれっからしのように思われはしないかという心配もあります。

邦彦さんがものもいわず、ごろりと横になったとき、私は夢中で、

「すみません、ごめんなさい」

とその胸にかじりついていました。

「私がいけないんです……私が……」

と泣きました。邦彦さんは仰向《あおむ》けになったまま、片手で私の頭を撫《な》でています。

「どうして、謝るんですか、勝代さんが……」

「だって……」

といったきり、私は次の言葉を口に出せません。私の粗末な身体を見て、いや

になってしまったのでしょう、とは私の口からいえません。

「邦彦さんの……お役に立ちたいと、心から思っていますのに……」

そういうと、また新しい涙が流れました。

「私に……魅力がないから……」

蚊の鳴くような声でいいますと、邦彦さんの腕に力が入りました。

「そんなことを……勝代さんは、……そんなふうに考えているんですか……」

邦彦さんは身体を起して、私の顔に顔を重ね、

「ああ、いい人ですなあ、あなたは……」

感極まったようにいいました。

「勝代さんのせいやない。ぼくのムスコがね、もう、年とったんですよ。年とって、いうこと、きかんようになっている——」

邦彦さんはいいました。

「死んだ女房はこんなときに、こういいましたよ。『あんた、口ほどもないイクジなしね』とかね。『外であんまり撒《ま》き散らすから、涸《か》れてしまうのよ』とかねえ……ま、そういわれればそうかもしれんが、あんまりハッキリいわれるとねえ……これでもオトコのプライドというものがありますからね」

——だとすると、私のお粗末さがいけないのではなくて、それは邦彦さんの方

の「身体の都合」だったのでしょうか。

私の涙は乾きました。邦彦さんへのいとしさで胸がいっぱいになりました。邦彦さんを慰めるためなら、何でもする――そんな気持になりました。私は少しずつ手を伸ばして行って、邦彦さんの大事なモノを探り当てました。手の中にじっと包みこんで、祈りました。

「おおきくなァれ、おおきくなァれ」

と、口の中でいいました。邦彦さんのソレは、とてもやわらかく、ぐんなり素直に私の手の中にいました。それはしみじみと可愛《かわい》らしく、いとしいものに思われました。ソレが早く強く固くなってほしいとは私は思いません。このままでいいのです。私はこのままでいい。けれどもそうなることを、邦彦さんが望んでいるので、だから、私は彼のために祈るのでした。

「おおきくなァれ、おおきくなァれ」と。

するとそのうちにソレが、少しずつやわらかさを脱ぎ捨てて行くのがわかりました。少しずつ、少しずつ、だんだんにソレは固まって行ったと思うとあっという間に手に余るほどになりました。と同時に邦彦さんはガバと身体を起し、大急ぎで、一気に、それを私の中へとさし入れたのでした。思わず私は声を上げましたが、それは快美感のためなんぞではありません。媚態《びたい》でもありません。ことを成就した感動のためなのでした。

無我夢中の時が終りました。

それは長かったようでもあり、短かかったようでもあり、十分満足したようでもあり、まだもっとつづけたいようでもありました。

「やったァ！」

野球に勝った高校生が躍り上って叫ぶ時のような、そんな気持でした。

とうとう、私は知ったのです。夫以外の男を。

——あなた、見てましたか？

私は夫の霊に向って、そう呼びかけたい気持でした。

——あなたが私を裏切ってくれたおかげで、私はこんな喜びを知ることが出来たんですよ、——見てた？　よく見てた？　私のしてたこと……お・か・げ・さ・ま！　私、シ・ア・ワ・セ！　そう、皮肉いっぱいにいってやりたい。

そんなことを考えてる私に邦彦さんが囁《ささや》きました。

「なに考えてる？」

「なにも……」

と私は答えて、邦彦さんの肩に顔をすりつけ、

「あなたは？」

耳もとにいいました。

「素晴しかったよ」

邦彦さんは答えてキスをしてくれます。

「君は？」

「夢のようですわ」

私はそう答えながら、

「ざまァみなさい！」

夫の霊に向っていったのでした。

3

東京へ帰って来ると、私は魂を抜かれてしまったようにボーッとして、何も手につかずに坐っていました。長年住み馴れた家、私の手垢《てあか》や呼吸が染みついて、古びてくたびれて私の分身のように感じられていた家が、たった一日で急に違う表情になって私を迎えたような気がするのです。

留守中の郵便物の中に静さんの手紙がありましたが、あれほど好奇心を燃やした静さんの動静が、それほど興味深いものに思えなくなっていて、そのぶ厚さを見ると開くのが億劫《おっくう》な気さえします。私にとって静さんは私の代打者みたいな人だったことが今、わかりました。私が憧《あこが》れながら諦めていたことを、静さんが華々しく代行してくれていたのです。でも今は違います。私は静さんよりも、もっと素晴しい経験をしました。静さんのように美貌《びぼう》でもなく、若々しくもなく、頭もよくなく、話下手《はなしべた》で世間知らずな私が、静さんのカレよりも何倍も素晴しい方に選ばれ、何倍もすてきな愛の一夜を過したのです。

電話が鳴っています。きっと静さんからです。ゆっくり立って行って受話器を取ります。

「もしもし、松本でございます……」

という声は静さんが敏感であれば、いつもと違って、しっとりと潤っていることに気がついた筈です。けれども静さんは性急に、

「あ、勝代さん！　どこへ行ってらしたの、おとといから、電話をかけつづけているのに……」

と怨みがましくいうのです。

「ごめんなさい。軽井沢へ行ってたものだから」

「軽井沢！　まあ！　いいわねえ……」

静さんはびっくりして高い声になりながら、

「でも、どうして？」

あなたが軽井沢へ行くなんて……あなたのような、地味で楽しみと縁のない人が……というニュウアンスがその「どうして？」に籠《こも》っています。

「あのねえ、ほら、いつかお話ししたでしょう？　女学校時代のヨーコってクラスメイトのこと、あの人の別荘が軽井沢にあって、誘われたもんだから……」

「あッ、じゃ、あの人……クニヒコさんと一緒？」

さすがは静さんです。すぐにピンときて、

「ね、そうだったんでしょ？」

「ええ、まあ……」

私は言葉を濁し、何となくもったいをつけたい気持で話を逸らせました。

「いかがですの？　その後……」

「ええ、それが」

静さんはいいかけて、

「手紙、読んで下さった？」

と訊きます。

「ごめんなさい。帰ったばっかりで、まだ拝見してないのよ」

「そうなの……」

静さんは弱々しくそういうと、

「ハヤトが四日前から帰って来ないのよ！」

突然、泣き声になりました。

「帰って来ないって、どこへ行ったの？」

「お父さんの誕生日だから、って家から電話が来て帰ったの」

「それなら、久しぶりで、のんびりしてるんでしょう。心配いらないじゃないの」

「そうじゃないの。向うには一晩いただけなのよ。私ね、思いきって、電話をかけたら、お手伝いさんが出て来てそういうじゃないの」

「じゃあ、どこへ行ったんでしょう」

「それがねえ、勝代さん……あの電話の女とねえ、箱根へ行ってるのよ」

「えっ、箱根？　どうしてわかったの？」

「だって、絵葉書が来たんだもの。たった今――」

「絵葉書?!」

「こう書いてあるのよ。愛するおばちゃんへ。箱根へ来ています。ぼく、とても倖《しあわ》せ。あのひとと一緒です。一晩に五ハツやったよ。ここで記録を作って帰ろうと思っています。たのしみに待っていてね」

私は言葉がありません。静さんの泣き声がいいました。

「そういう葉書なのよ。おまけにね、記録の録がね、ミドリという字なの……」

「まあ……」

「これが大学生の書く葉書でしょうか！　私、もう、情けないやら、シャクにさわるやら……なんて、なんて程度の低い男なのかしら……一晩に五ハツやったよ、だなんて、よくもまあ、そんなことを書けたものだわ。私、どうしてこんなバカを好きになってしまったのかと思うと、自分で自分がいやになるの……」

「でも、どうして電話のひとと会えたのかしら？」

「知らないわヨ！　どうせ、しつこく迫ったんでしょうヨ。恩知らず！　私が開発してやらなければ、今でも女に近づけないで、電話帳で女名前の電話を捜して、情事のマネゴトして、欲求不満を解消するしかないくせに」

「でもあなたにそんな報告をするなんて、やっぱり、あなたに甘えてるのね」

「よくいえば無邪気。フランク。正直。悪くいえばズボラ。鉄面皮。自己中心のガリガリ亡者」

もうボロクソです。

「あなたには何をしても許してもらえると思ってるのよ」

漸く慰めの言葉を捜し当ててそういいました。

「何をしてもやっぱり、あなたのところへ帰ってくる気よ」

「そんなもの……なめるな、っていいたいわ！　沢山、もう沢山」

もう沢山、といっても、その家はハヤトくんの家です。ハッキリいってしまうと静さんはセックスつきの出張家政婦みたいなもので、ハヤトくんは重宝しているだけで、どう見ても愛しているとは思えません。

静さんが「もう沢山！」というのはいいけれど、そういって出て行けばハヤトくんは、多分「そう？　じゃあサヨナラ」というだけでしょう。その私の想像が静さんにも伝わったのか、キューッという、戸のきしみのような、のどの奥が絞られるような声が洩れて来て、静さんは泣いているのでした。

静さんは家へ戻った方がいいのです。私にはそれしか解決の道はないような気がします。けれども卓造氏のことを考えると、私は静さんに無理に帰りなさいとはいいにくくなってしまうのでした。

この先、静さんはどうなるのでしょう？

そのことを思うと私は暗澹《あんたん》とせずにはいられません。静さんは六十年の人生の、最初で最後の、たった一度の大花火を打ち上げました。そして、あっという間に花火は消えたのです。打ち上げた花火は消えることがわかっているのに、わかっていながら情熱に身を委《まか》せてつっ走ったのです。

「またよりにもよって、そんなたよりない孫みたいな男の子を相手にするからよ！」

と山藤さんは冷淡に批判しましたけれど、「たよりない孫みたいな男の子」だったからこそ、静さんの花火も中空に花開いたのであって、分別ある男だったら……とそこまで考えると、ひとりでに邦彦さんの顔が浮かんで来て、ああ、この私は分別ある人に愛されたんだわ、と今更のように我が身の倖せを胸に抱きしめずにはいられないのでした。

卓造氏が私の家のチャイムを押したのは、その日の夕方です。卓造氏は浴衣《ゆかた》がけで団扇《うちわ》を片手に持ち、八幡さまの前の空地に植木市が立ったのでご一緒にと思って……といいます。

「昨日も一昨日もお訪ねしたのですが、お留守のようでしたね」

とてれ隠しのように団扇をパタパタさせます。

「はあ、軽井沢へちょっと……お友達の別荘に一泊してまいりました」

「いかがでしたか。軽井沢は……今は若葉が美しい頃でしょうな」

「はい、とてもすてきでした……」

邦彦さんの顔を思い浮かべながら答えます。その私をじっと見て、

「何だか若くなられたようですね。肌が生き生きしておられる……」

「そうでしょうか……」

自然に手が頰に行きました。

「楽しいことでもありましたか？　私はひとりで寂しく、苛《い》ら立って孫を相手に飯を食っていました。息子夫婦が出かけたものですからね。こんな時にあなたがいて下されば、と何度か思いましたよ」

卓造氏はまるでもう、私との結婚が決ったかのような口調で、

「さ、行きましょう……」

と促します。

「あの、私……ちょっと都合が悪くて」

いつもなら、人から誘われると気が進まなくても断れずに、ついて行ってしまう気の弱い私です。けれども、今の私はいつもとちがうのでした。

「申しわけありません。今、電話がかかってくるのを待っているものですから」

「電話？　どこからです」

当然のように質問するのです。

「軽井沢でご一緒した人ですわ。電話で打ち合せてその後、会うことになってい

るものですから」

「お友達ですか？」

「はい、お友達のお兄さんですの」

不意を衝《つ》かれたように、卓造氏は口をつぐみました。

「私、その方と結婚することになりましたの」

気の弱い私が、そんなことをズバリといえたことに自分でも驚きながら、私は止めを刺すようにいっていました。

「ですから、この間のお話はなかったものとお思いになって下さいませな。そして、さし出がましいようですけれど、やっぱり、奥さまと仲よく老後を助け合って、いたわり合って過していただきたいんですの……」

卓造氏は私のいうことが呑み込めないといった表情で、まじまじと私を見ています。

「それは……」

と卓造氏はいいました。

「静への遠慮なんじゃありませんか？」

「いいえ、遠慮だなんて、そんなんじゃありませんわ」

「奥さんはやさしい方だから、きっとそんなふうに考えられるんじゃないかと思っていたのですが」

「隣同士で親しくしていただいておりましたからね。確かに躊躇《ちゅうちょ》なさるお気持はわかりますが」

「遠慮じゃありませんの……」

私はたまりかねて大声を出しました。

「私、その方を……愛しておりますの……」

それは生れてはじめて、声に出していった言葉でした。卓造氏は棒を呑んだように立ちすくみ、

「愛している……」

と呟き、

「そして、その男性の方も……ですか？」

諦め悪く押して訊くのです。

「はい」

私は勝利者のような気分で肯きました。

「私たち、軽井沢で……結ばれましたの」

卓造氏を見送って家に入ると、私は仏壇の前に坐りました。線香を立てて、鉦《かね》を鳴らし、

「あなた、おかげさまで私も」

といったとき、電話が鳴りました。もしかしたら、あの方から……？　と大急ぎで電話の前に走ります。

「もしもし、松本でございます」

というのと同時に、

「カッチン、私——」

と山藤さんの声がいいました。

「カッチン、今、ヨーコから電話が来たんだけど、あのね、びっくりせんといて、邦彦さんが倒れたんだって……」

「えっ！」

「昨日軽井沢から帰って来て、お風呂に入ってて、倒れたらしいのよ」

「そ、それで……」

「四谷《よつや》の病院に入院したんだって。脳血栓《のうけっせん》じゃないかしらってヨーコはいうんだけどね、まだはっきりしたことはわからへんのよ。それでね、ヨーコから頼まれたのよ、私からカッチンに訊いてくれって……」

呆然《ぼうぜん》としている私の耳に、一方的に山藤さんの声が流れ込んで来ます。

「カッチン、軽井沢で邦彦さんと、アッタんでしょ？　あんたも邦彦さんも何もいわなかったけど、私とヨーコが散歩に出たあと、二人の間に何かアッタにちがいない、ってヨーコがいうのよ。勿論《もちろん》、私もそう思うけど……そうでしょ？」

山藤さんは私の返事を待とうとせずにつづけました。

「もし、アッタんなら、邦彦さんはきっとあんたに会いたいやろ、というのよ、ヨーコは……」

「………」

「カッチン、どうネ？　このまま、ほっとく？」

その質問の意図が私にはわかりません。口ごもっている私に山藤さんはいいました。

「最悪の場合は寝たきりになってしまう心配があるのよ。よくて半身不随か車椅子か……」

「そんなに……」

受話器を持つ手が痺《しび》れて、その場に投げ出してしまいそうです。

「それで正直いうと、ヨーコはね、あんたが邦彦さんと結婚の約束をしたのかどうかを知りたがってるのよ。つまりね、カッチンが邦彦さんの看病をしてくれるかどうか……だから私、いったのよ、そらヨーコ、ちょっと虫がよすぎるわ、って。邦彦さんとカッチンの間にいっぺんくらいナニがあったとしても、それでカッチンに一生、邦彦さんの面倒を見てもらおうというのは、カッチンが可哀《かわい》そうすぎるよって……カッチン、カッチン、聞いてるの？」

「ごめん、あとで電話するわ。ちょっと考えさせて……」

そういって受話器を下ろすと、その場にうつ伏して泣きました。泣きながら思い出しました。卓造氏に向っていった言葉を。そして仏壇に向っていおうとした言葉を。静さんに対して抱いた優越感を。そしてしっかり摑《つか》んだつもりでいた幸福の感触を……。あっという間に倖せが来たと思ったら、あっという間に飛び去ってしまったのです。

仏壇にさっき灯した蠟燭《ろうそく》の焔が揺らいでいます。亡夫の霊がそれみたことかと大喜びしているかのように。

「愛しているのですから……」

揺らいでいる焔に向って、刃向うようにいいました。

「愛している人のためにする苦労なら、どんな苦労でも苦労と思いませんよ……」

そういったものの、やっぱり暫《しばら》くの間、ぼんやり坐っていました。戦争の真ただ中、山のような大荷物を背負って、疎開先へ向う汽車を待っていた時の気持が、なぜか思い出されて来たのでした。あの時も乗り越えてきた、と私は思いました。私は、いろんな苦労に耐えて、何度も乗り越えて来た。だから、今度だって乗り越えられないことはない——私は思いました。私は苦労には馴れているわ、と。

　翌日、私は病院へ行きました。看病に行くというよりは、とりあえず様子を見に行ったのです。邦彦さんは白地に赤い格子縞《こうしじま》のパジャマを着て、眠っていました。私がそっと手を握ると目が開いて私を見ました。

「びっくりしたわ……いかがですの？」

　私がいうと邦彦さんの目は細ばめられ手が強く、私の手を握り返して来ました。邦彦さんは言語障害が起きているらしいのでした。

　そして右半身が不自由になっているようでした。細ばめたまま、私を見つめている邦彦さんの目に、うっすら涙が溜《たま》るのが見えました。

「大丈夫。治りますわ。私が治してさしあげます……」

　そういうと、私の目にも涙が浮かびました。邦彦さんの目が私に話しかけていました。私にはそれがわかりました。それで私は身体をかがめて、邦彦さんの唇に静かに私の唇を押し当てたのでした。

　——これで私の老後は決ってしまう……もう後へは引き返せなくなる……いい

のか、ほんとうにいいのか……そう思いながら、なぜか私は唇を離せないでいるのでした。

私は三日つづけて病院へ通いました。病院の人たちは私を邦彦さんの奥さんだと思っています。邦彦さんのおしっこをとる時、私はあの日のことを思い出しました。このおとなしいやわらかなモノを手の中に包んで、

「おおきくなァれ、おおきくなァれ」

と祈ったあの時のように、いつか私はそれを握って、

「神さま」

と祈っているのでした。

「どうか、この方を治して下さい。そしてこのモノが、あの時のように、蘇ってくれますように……」

それから何日目だったでしょう。夕立がいつか本降りになって、風が出て来た様子なので、二階の雨戸を閉めに上って、見るともなしにお隣を見下ろしました。そうして、「あッ」と声を上げました。島本家の居間の、長いテーブルにこちらを向いて静さんが腰かけているではありませんか！　静さんの隣に卓造氏がいます。こちらに背中を向けているのは中学生の弓子ちゃん、高校生の悟さん、小学

生の勝ちゃん、そうして秀一さんと正子さん夫婦は長テーブルの右側と左側に向き合っています。

テーブルの上には紅バラが活《い》けられています。皆は食後の西瓜《すいか》を食べています。正子さんが表情ゆたかに何かいい、秀一さんが大きく口を開け、のけぞって笑っています。そして子供たちも笑っています。卓造氏は口から西瓜の種を出していま す。そして静さんは白地の浴衣を着て、落ちついたニコニコ顔で手拭《てぬぐ》いで勝ちゃんの口のまわりを拭《ふ》いているのです。

静さんは帰って来たのです。静さんはやっぱり卓造氏との老後を選び、卓造氏も静さんとの生活を受け入れたのです。

テーブルのまわりには倖せがたちのぼっているようです。私はいつかの、静さんの還暦祝いの日のことを思い出しました。あの時もテーブルにバラの花が飾られ、静さんはとても嬉《うれ》しそうでした。あれからもう半年経《た》ったのです。

「よかったわねえ、静さん」

私は呟きました。

けれども私はもう、あの時のように静さんを羨ましいとは思わないのでした。

解　説

戸川昌子

学生時代やＯＬの頃を振り返ってみると、いつでもこちらを羨《うらや》ましがらせるような友達がいたものである。

なにをやらせても積極的で、こちらが恥ずかしいと思っていることでも、ケロリとやってしまう。

まるで恐い物知らずに、あれよあれよというまに手の届かない向こうにいってしまう感じなのである。

私などは、英文タイピストからシャンソン歌手になり、小説も書き始めたから、はたから見るとそれこそ、そのあれよあれよの口なのだろうけれど、本人は少しもそう思っていない。

周りの友人が、倖《しあわ》せそうな結婚をしたり、素敵な恋人を見つけたり、華やかな就職口についたり、可愛《かわい》いお店を出したりするのを見ては内心羨ましいと思いながら、自分だけがひとり不幸で、運が悪くて、やりたいこともやれない性格なのだと嘆いていた。その思いが募って、じっとしていることが出来ずどうしようもなくなり、唄を歌ったり、小説を書いたりしはじめたようなものなのである。

いつも周りが華やかに見えて、自分だけはダメ人間だと思い込んでいた。

人間、多かれ少なかれ、そういう傾向があるものらしい。

いつでも、隣りの家の芝生が青いのである。

隣人のいないところに住めばこの問題は解決するのだろうけれど、人間である限りそうもいかない。

結局、私達は、隣人や友人と自分を比較するところから、生活を始めなければいけないのだ。

この小説の主人公の勝代も、隣人の静さんと自分をくらべることから、現在の自分自身に対する不満や疑問が湧《わ》き起ってくる。

自分と対照的な静さんという鏡があってはじめて自分が見えてくる。

それにしても、勝代の二階の窓から見える隣りの家の静さんの夕餉《ゆうげ》の風景のなんと明るいことか。それにくらべて、勝代の心の風景は、孤独で暗い。

私はかつて、華やかな時代を終り、老いだけを背負っている六十すぎの女達の住む単身女子アパートに、管理人の娘として住んでいたから、このあたりの構図がはっきり目に浮かぶようだ。

狭いコンクリートの壁に囲まれた孤独な老女達の他人の生活への羨望《せんぼう》と嫉妬《しっと》。私のいた女子アパートの場合は、隣人と一言も口をきかない人もいた。羨望と嫉妬はふくれあがり、憎しみに変る。

けれども勝代と静さんは、仲が良い。お互いに打明け話をして、相談にも乗るし、いろいろ頼まれごともする。

勝代は、内心は、自分の出来ないことを静さんがやってくれることを期待しているのだ。

勝代は、静さん自身になって、空想の世界をさまよい、その世界の中の淫《みだ》らな自分を恥ずかしいとさえ思うのだ。

静さんの見つけた恋人は、いたずら電話を唯一の生き甲斐《がい》としている馬鹿息子である（この手の男は女の破滅的な恋の相手としては典型的な一つで、女にとっては抗しがたい魅力を持っている）。彼は若さに溢《あふ》れた肉体と、強靭《きょうじん》なセックスの欲望は持ち合せているが、精神的な恋の対象ではない。

静さんの夫に対する、長い結婚生活の失望と怒りは、この若い恋人に対する溺《でき》愛《あい》ぶりと比例する。

静さんは今までに失ったもの、得るべくして得られなかったものを、ここで必死に取り戻そうとするのである。

静さんの姿はいっけん滑稽《こっけい》だが、やりたいことをやった後のすがすがしさはある。もちろん、むなしさもあるけれど。

私達が、本を読んだり映画を見たりテレビを見たりして、他人の生活を体験してしまうように、勝代も静さんの話をとおして、静さんのやった〈やりたいこと〉を体験してしまう。

それは、セックスの世界の、底なし沼のような地獄である。

若い恋人がケロリとしていればいるほど、それはまさに〈のれんに腕押し〉なのだ。静さんは、最後は世間の人がいうように目が覚めて（自分では諦《あきら》めて）、日常生活にもどってくるようになる。

勝代が、二階から見ていた隣家の倖せそうな家族団欒《だんらん》の風景に、ふたたびまたすっぽりと収まるのである。

左右に孫がいて、息子夫婦がいて、向う側には長年連添った十二歳年上の謹厳実直な主人がいる。

そしてこの長年憎んでいる夫もまたたえず脱出願望を持っているなどとは、少しも考えないのだ。

夫の卓造は卓造でこの年齢になっても、もう一度倖せな結婚をすることを……自分の知的な精神活動を理解してくれる女性が生涯の伴侶《はんりよ》として現われることを夢想している。これが現実のおおかたの夫の姿なのであろう。

ともあれ、静さんは、家のそとに行ってやりたいことをやり、また家族の絵の中の元の位置にすっぽりと収まればそれで万事がすむ。

昔通りの、お互の誤解で成立した世界にふたたび住めばよいのである。

勝代の方はそうはいかない。

独りで生きている人間……傍観者としていつづけようとした人間の苦痛が始まる。

自分が内心待ち望んでいた恋の相手が現われると、それを結婚の相手として考えねばならなくなる。

結婚生活をあらためて始めるということは、静さんのように、また元の絵柄の中に戻って行くわけにはいかないのだ。

勝代もそれがわかっているから悩むのだが、結局は静さんのようには振るまえない。

相手が浮気の対象ではなく、結婚の対象だからだ。

勝代の相手が脳血栓《のうけっせん》で倒れなかったとしても、二人の道程に待っているものは、日常という名の容易ならぬ生活であったろう。

まさに恋と結婚生活は別物なのだから。

勝代も静さんも六十歳の女性だけれど、恋に憧《あこが》れ悩むところは、若い女性と少しも変らない。

夫という名の、たったひとりの男性との経験はあるけれども、彼女達はそれが恋ではなかったと気付いてしまっている。

二人とも恋を取り戻さなければと必死に思っている。

恋のある人生を……充実したセックスのある人生を……。

おそらくそれが、子育てを終え、現実の結婚生活に失望したおおかたの女性の実感なのであろう。

私の母は四十七歳で夫と死に別れてから、一度も男性と接しなかった。娘の私を夫の代替物として八十六歳の人生を終えた。

私はこういう母が疎ましく、一度ならず、どこかで男を見つけりゃいいのにと思った。

だから、明治の女は嫌いなのだとも思った。

母は、私のために自分の倖せを犠牲にして、耐えているのだという顔をして見せては、私をいらいらさせた。

若い頃は、なんとか小町といわれたそうだから、娘の私から見ても美人だったし、男がいてもよさそうなものなのに、私を夫のかわりにして、自分の殻に閉籠《とじこも》った。

娘の私は、そのぶん奔放になった。どこかでこの母がいるから、まともな結婚は出来ないという気持があった。夫がわりの私が生活の道を立てねばならないという気持があった。

今、勝代と静さんの話を読みながらつくづくと思う。もしかしたら、母は、私をとおしてもうひとりの別の女の生活をしていたのではないか。

きっと、母もまた、私を自分の恋の空想の世界のピンチヒッターにしていたのだろう。

私の付合う男性が変るたびに、母はときどき非難がましい視線を向けた。母は、勝代のように私を眺め、勝代のように私に嫉妬もしたのだろう。

ただ、母は、自分の娘であるが故に、私を許したのだ。審《さば》くのをやめたのだ。でも私の母もまた、勝代のように自分の恋を、自分の人生を持つべきだったと思う。

私の母は古い時代の固定観念にとりつかれていたのだ。

四十すぎで、自分の性を覆い隠してしまうことが、どんなに非人間的なことか、明治生まれの母にはわからなかったのだ。

これからの時代は、勝代と静さんの物語は、花の六十代の物語ではなくなるだろう。

それはきっと花の七十、花の八十の物語になっていくだろう。

そのときになっても、女は、作者がここで描いたように、のれんに腕押しをしながらも情欲の世界を垣間見《かいまみ》ようとするのか、あるいは理想の男性の腕の中で目を閉じて無邪気に失神してしまうのか迷い続けることだろう。

要するに作者がここで確かな手腕で描いたことは、あらゆる意味での男と女の間で永遠に繰り返される美しくも哀《かな》しいことの、見事な教科書そのものなのである。

この作品は一九八三年十二月、集英社より刊行された「花はいろいろ」を文庫収録にあたり「花は六十」と改題しました。

佐藤愛子の本

日本人の一大事

偏差値？　子供の自主性？　物質主義？
ナンボのもんじゃい！
日本はこのままいくとダメになる。
愛する日本の前途を思う眞情が、
アイコ先生を多弁にする。

集英社文庫

集英社文庫

自讃ユーモアエッセイ集

これが佐藤愛子だ 全八巻

昭和から平成へ、移りゆく世相を描く痛快無比のエッセイの傑作。

❶ 第一章「さて男性諸君」、第二章「こんないき方もある」、第三章「愛子の小さな冒険」、第四章「愛子のおんな大学」、第五章「私のなかの男たち」

❷ 第一章「丸裸のおはなし」、第二章「坊主の花かんざし(一)」、第三章「坊主の花かんざし(二)」、第四章「坊主の花かんざし(三)」、第五章「坊主の花かんざし(四)」

❸ 第一章「朝雨 女のうでまくり」、第二章「女の学校」、第三章「こんな幸福もある」、第四章「娘と私の部屋」、第五章「男の学校」、第六章「一天にわかにかき曇り」

©村上豊

❹
第一章「娘と私の時間」、第二章「枯れ木の枝ぶり」、第三章「愛子の日めくり総まくり」、第四章「愛子の新・女の格言」、第五章「こんな考え方もある」

❺
第一章「女の怒り方」、第二章「日当りの椅子」、第三章「古川柳ひとりよがり」

❻
第一章「幸福という名の武器」、第二章「男と女のしあわせ関係」、第三章「老兵は死なず」、第四章「娘と私のただ今のご意見」、第五章「こんな暮らし方もある」

❼
第一章「憤怒のぬかるみ」、第二章「何がおかしい」、第三章「こんな女もいる」、第四章「こんな老い方もある」、第五章「上機嫌の本」、第六章「死ぬための生き方」

❽
第一章「娘と私と娘のムスメ」、第二章「戦いやまず日は西に」、第三章「我が老後」、第四章「なんでこうなるの」、第五章「だからこうなるの」、第六章「老残のたしなみ」

佐藤愛子の全エッセイから傑作・秀作を再編集。

集英社文庫　目録（日本文学）

坂村健　痛快！コンピュータ学
佐川光晴　おれのおばさん
佐川光晴　おれたちの青空
佐川光晴　あたらしい家族
佐川光晴　おれたちの約束
さくらももこ　ももこのいきもの図鑑
さくらももこ　もものかんづめ
さくらももこ　さるのこしかけ
さくらももこ　たいのおかしら
さくらももこ　まるむし帳
さくらももこ　あのころ
さくらももこ　のほほん絵日記
さくらももこ　まる子だった
さくらももこ　土屋賢二　ツチケンモモコラーゲン
さくらももこ　ももこの話
さくらももこ　ももこの宝石物語

さくらももこ　さくら日和
さくらももこ　ももこのよりぬき絵日記①〜④
桜井進　夢中になる！江戸の数学
櫻井よしこ　世の中意外に科学的
桜木紫乃　ホテルローヤル
桜沢エリカ　女を磨く大人の恋愛ゼミナール
桜庭一樹　ばらばら死体の夜
佐々涼子　エンジェルフライト　国際霊柩送還士
佐々木譲　犬どもの栄光
佐々木譲　五稜郭残党伝
佐々木譲　雪よ荒野よ
佐々木譲　総督と呼ばれた男(上)(下)
佐々木譲　冒険者カストロ
佐々木譲　帰らざる荒野
佐々木譲　仮借なき明日
佐々木譲　夜を急ぐ者よ

佐々木譲　回廊封鎖
佐藤愛子　憤怒のぬかるみ
佐藤愛子　死ぬための生き方
佐藤愛子　結構なファミリー
佐藤愛子　風の行方(上)(下)
佐藤愛子　こたつの人　自讃ユーモア短篇集一
佐藤愛子　大黒柱の孤独　自讃ユーモア短篇集二
佐藤愛子　不運は面白い　幸福は退屈だ　人間についての断章326
佐藤愛子　老残のたしなみ　日々是上機嫌
佐藤愛子　不敵雑記　たしなみなし
佐藤愛子　自讃ユーモアエッセイ集　これが佐藤愛子だ　1〜8
佐藤愛子　日本人の一大事
佐藤愛子　花は六十
佐藤愛子　幸福の絵
佐藤賢一　ジャガーになった男
佐藤賢一　傭兵ピエール(上)(下)

集英社文庫　目録（日本文学）

佐藤賢一　赤目のジャック
佐藤賢一　王妃の離婚
佐藤賢一　カルチェ・ラタン
佐藤賢一　オクシタニア(上)(下)
佐藤賢一　革命のライオン　小説フランス革命1
佐藤賢一　パリの蜂起　小説フランス革命2
佐藤賢一　バスティーユの陥落　小説フランス革命3
佐藤賢一　聖者の戦い　小説フランス革命4
佐藤賢一　議会の迷走　小説フランス革命5
佐藤賢一　シスマの危機　小説フランス革命6
佐藤賢一　王の逃亡　小説フランス革命7
佐藤賢一　フイヤン派の野望　小説フランス革命8
佐藤賢一　戦争の足音　小説フランス革命9
佐藤賢一　ジロンド派の興亡　小説フランス革命10
佐藤賢一　八月の蜂起　小説フランス革命11
佐藤賢一　共和政の樹立　小説フランス革命12

佐藤賢一　サン・キュロットの暴走　小説フランス革命13
佐藤賢一　ジャコバン派の独裁　小説フランス革命14
佐藤賢一　粛清の嵐　小説フランス革命15
佐藤賢一　徳の政治　小説フランス革命16
佐藤賢一　ダントン派の処刑　小説フランス革命17
佐藤賢一　革命の終焉　小説フランス革命18
佐藤正午　永遠の½
佐藤多佳子　夏から夏へ
佐藤初女　おむすびの祈り　「森のイスキア」こころの歳時記
佐藤初女　いのちの森の台所
佐藤真海　ラッキーガール
佐藤真由美　恋する短歌　22 short love stories
佐藤真由美　恋する歌音《カノン》　こころに効く恋愛短歌50
佐藤真由美　恋する四字熟語
佐藤真由美　恋する世界文学
佐藤真由美　恋する言《コト》ノ葉《ハ》　元気な明日に、恋愛短歌。

佐野眞一　沖縄 だれにも書かれたくなかった戦後史(上)(下)
佐野眞一　沖縄戦いまだ終わらず
佐野藤右衛門・小田豊二　櫻よ　「花見の作法」から「木のこころ」まで
沢木耕太郎　天涯1　鳥は舞い 光は流れ
沢木耕太郎　天涯2　水は囁き 月は眠る
沢木耕太郎　天涯3　花は揺れ 闇は輝き
沢木耕太郎　天涯4　砂は誘い 塔は叫ぶ
沢木耕太郎　天涯5　風は踊り 星は燃え
沢木耕太郎　天涯6　雲は急ぎ 船は漂う
沢木耕太郎　オリンピア　ナチスの森で
澤田瞳子　泣くな道真　大宰府の詩
サンダース・宮松敬子　カナダ生き生き老い暮らし
三宮麻由子　鳥が教えてくれた空
三宮麻由子　そっと耳を澄ませば
三宮麻由子　ロング・ドリーム　願いは叶う
椎名篤子・編　凍りついた瞳《め》が見つめるもの

集英社文庫　目録（日本文学）

集英社文庫

花《はな》は六十《ろくじゅう》

1986年9月25日　第1刷
1998年9月30日　第7刷
2010年3月24日　改訂新版　第1刷
2017年2月6日　第4刷

定価はカバーに表示してあります。

著　者　佐藤愛子《さとうあいこ》
発行者　村田登志江
発行所　株式会社　集英社
東京都千代田区一ツ橋2-5-10　〒101-8050
電話　【編集部】03-3230-6095
【読者係】03-3230-6080
【販売部】03-3230-6393(書店専用)
印　刷　凸版印刷株式会社
製　本　凸版印刷株式会社

フォーマットデザイン　アリヤマデザインストア　　マークデザイン　居山浩二

ISBN978-4-08-746546-4 C0193